하나님이 주신 단 하나뿐인 나의 첫째 딸
민주, 나를 내보다 많이 닮았다 겉모습만,
속사람은 나의 첫사랑인 천영기씨를
닮은 아주 소중하고 귀한 우리 딸
우리 딸의 예쁜 만남을 진심으로 기도합니다.

2007. 6월 엄마.

자신감

자신감

전병욱 지음

규장

하나님 안에서 자신감을 가진 강력한 인생을 살라

《조선왕조 500년》, 《한명회》 등을 쓴 작가 신봉승 씨는 극본, 시나리오뿐 아니라 시도 쓰곤 한다. 남을 원망하고 비판하는 세태를 한탄하는 '남을 욕하는 손가락에 대하여' 란 신봉승 씨의 시를 읽은 적이 있다.

자동차를 몰고 다니지 않을 때는
보행자였으므로
자동차를 매도하고,
자동차를 몰고 다닐 때는

운전사였으므로

보행자를 매도하고,

자동차가 늘어나서 홍수일 때는

길이 뚫리지 않으므로

신호등을 매도하고,

모든 날, 모든 때,

모든 것을 매도하면서

내게는 성한 곳이 없었다.

　나는 최근의 우리 사회 분위기가 매우 걱정스럽다. 왜냐하면 잘못의 원인을 자기에게서 찾지 않고 남에게서만 찾고 있기 때문이다. 사회 전체가 위로부터 아래까지 서로 비방하고 원망하는 일에 혈안이 되어 있다. 이스라엘 백성은 광야에서 원망하다가 다 죽었다. 이런 원망 문화가 우리를 넘어뜨리지 않을까 두려움이 앞선다. 원망과 비방은 마귀로부터 나온 것이다. 결코 굴해서는 안 될 쓴 뿌리이다.

자기 발견

하나님을 만난 사람은 자신을 찾게 된다. 하나님을 만나면 나를 발견하게 된다. 하나님은 하나님과의 만남, 주변 모든 환경과 사건을 통해서 우리가 우리 자신을 발견하기 원하신다.

하나님을 만나면 변화된다. 하나님은 얍복 강가에서 야곱을 만나주셨다. 야곱과 씨름한 후 그의 이름을 '이스라엘'이라고 바꿔주셨다. 야곱은 그곳의 이름을 '브니엘'이라고 불렀다. "하나님의 얼굴"이라는 뜻이다. 그런데 야곱은 사실 거기서 하나님을 만난 것이 아니라 자기 자신을 만났다. 그는 비로소 자신의 이름을 '야곱'이라고 말하기 시작했으며 자기 자신의 연약한 모습에 눈떴다.

하나님을 만나야 하나님의 빛을 통해서 자기 자신을 정확히 보게 된다. 하나님은 환경을 통해서도 자기 자신을 보도록 인도하신다. 세상은 자기를 보는 거울이다. 그리고 자기를 보는 것이 성숙이다.

야곱은 밧단아람에서 라반의 모습을 보았고 속이는 삼촌 라

반의 모습에서 사기 치는 야곱 자기 자신의 모습을 발견했다. 야곱은 속이는 사람이었다. 동시에 많이 속은 사람이다. 야곱은 라반에게 속았다. 아내에게 속았고 자식들에게도 속았다. 결혼을 속아서 하는 사람은 드물다. 그런데 야곱은 결혼도 속아서 했다. 그는 자기와 결혼한 여자가 라헬인 줄 알았다. 그러나 아침에 깨어보니 레아였다. 라반과 레아가 야곱을 속인 것이다.

애굽으로 내려가는 미디안 상인에게 요셉을 팔아버린 야곱의 아들들은 요셉의 옷에 수 염소의 피를 묻혀서 그것을 야곱에게 가져왔다. 그 옷을 본 야곱은 아들 요셉이 짐승에게 잡아 먹힌 것으로 알았다. 아들들에게 속은 것이다. 그런데 그렇게 계속해서 속고 속이는 동안 야곱이 발견한 것이 무엇인가? 다름 아닌 바로 자기 자신이었다.

주위에서 속이는 것이 자꾸 보인다는 사람이 있다. 잘 보인다는 것은 그가 바로 그런 사람일 가능성이 높다. 성질 안 좋은 사람 눈에는 성질 안 좋은 사람이 잘 보인다. 자기가 성질

이 좋지 않은 사람이기 때문이다. 교만한 사람은 교만한 사람이 눈에 거슬린다. 자기가 교만하기 때문이다.

속히 자기 자신을 보는 것, 그것이 복이다. 하나님께서는 우리가 속히 우리 자신의 연약함과 누추함을 보기 원하신다.

성자가 쓰는 참회록

하나님을 만난 사람은 자신을 직시하게 된다. 20세기에 가장 크게 쓰임 받은 복음 전도자라고 하면 빌리 그래함을 들 수 있다. 그가 인도하는 집회마다 보통 10만 명의 사람들이 몰려들었다. 그는 한국에서도 100만 명이 넘는 사람들에게 복음을 증거했다. 심지어 러시아의 붉은 광장에서도 복음을 증거했으며 평생 수억 명의 사람들에게 힘 있게 복음을 증거했다.

그런 빌리 그래함에게도 젊은 시절은 있었다. 대학 시절, 그는 같은 대학에서 만난 한 미모의 여학생에게 마음이 흔들렸고 어렵사리 그녀에게 프러포즈를 했다고 한다. 그런데 그가 딱지를 맞았다. 크게 될 남자는 여자에게 딱지를 맞아본 경험

이 있어야 한다는 것을 보여주는 대목이다. 딱지도 맞아보아야 영성이 풍성해진다.

문제는 그 여학생이 그냥 퇴짜를 놓았으면 다행인데, 친절하게 그 이유까지 설명해주었다는 것이다.

"빌리, 너는 인격도 좋고, 성품도 좋고, 태도도 좋아. 그런데 너에게 능력이 없는 것 같아. 나는 성공할 수 있는 능력 있는 남자와 결혼하고 싶어!"

한마디로 무슨 말인가? 연애하기는 좋아도 결혼하기에는 마땅치 않다는 말이다. 이 말에 상심한 그는 며칠간 괴로운 시간을 보냈다고 한다. 그러나 그리 심각한 일이 아니라 여기고 며칠이 못 가서 잊어버렸다.

이후 빌리 그래함은 승승장구하는 인생을 살았다. 가는 곳마다 강력하게 복음을 증거했고, 여는 집회마다 인산인해(人山人海)의 큰 부흥을 맛보았다. 30대 초반에 타임지의 표지인물이 되기도 했다. 그는 '크루세이더'(Crusader)라는 전도단을 만들어서 엄청나게 많은 사역을 감당했다. 정신없이 일에 매진하는 것은 좋았으나 스태프들은 점점 탈진해갔고, 기쁨으로 감당해야 할 사역은 점차 짜증스러워졌다.

사역의 위기를 느낀 전도단에서는 일주일간 시간을 내어 일제히 수련회를 갖기로 했다. 개인적으로 회개하고, 위로부터의 능력을 구하고, 잘못된 문제를 시정하도록 힘쓰는 시간을 가졌다. 빌리 그래함 역시 철저히 자신을 점검했다. 성령님 앞에 자신을 내려놓고 문제를 성찰하는 시간을 가진 것이다.

'왜 우리는 이렇게 '탈진'(burn-out)되었는가?'

자성의 시간을 갖는 동안 빌리 그래함의 속에서 갑자기 떠오르는 말이 있었다.

"너는 다 좋은데, 능력이 없는 것 같아."

수십 년 전 그 여학생으로부터 들었던 말이었다. 자신은 다 잊은 줄 알았는데, 자신의 무의식 속에서는 그 말이 아픔과 분노로 남았던 것이다. 빌리 그래함의 헌신적인 사역의 이면에는 그 여자의 콧대를 납작하게 만들고, 그녀의 결정이 얼마나 어리석었는지 보여주겠다는 계산과 복수심이 깔려 있었던 것

이다. 물론 빌리 그래함의 순수한 헌신이 90퍼센트 이상 차지하고 있었을 것이다. 그러나 빌리 그래함은 자기 안에 있던 작은 복수심의 가능성마저 인정하고 절제하는 성자(聖者)다운 반성을 토로했다.

자기 자신을 보는 것은 하나님을 만나고 깨우친 사람이 하는 일이다. 참회록은 누가 쓰는가? 자신을 본 사람이다. 하나님을 만난 사람은 자기 자신을 보게 된다. 그래서 참회록은 죄인이 쓰는 것이 아니라 성자가 쓰는 것이다.

기다림의 미학

하나님을 만난 사람은 하나님의 뜻에 순종하게 된다. 자신의 연약함을 자각한 사람은 철저히 하나님의 능력을 의지하게 되어 있다. 따라서 믿음은 그 수동성을 드러낸다. 내가 할 수 있는 것은 없다. 내가 무엇을 할 수 있는가? 믿음은 내가 무엇을 이루는 것이 아니다. 내가 내 운명을 개척할 수 없다. 오직 하나님이 이끄시는 것이다.

수동성의 극치는 고난이다. '수동적' 이라는 단어 'passive' 는 '수난' 이라는 단어 'passion' 에서 나왔다. 상대가 무슨 일을 하든지 끝까지 기다리고 허용하는 일, 마지막으로 고난에 이르기까지 내려가는 것이 믿음의 절정이다.

　미성숙의 특징은 '활동적' (active)이라는 점이다. 기다리지 못한다. 항상 확인하려고 든다. 상대를 내 뜻대로 통제하려고 한다. 불신이 사람을 안절부절못하게 만드는 것이다. 이 불신이 겉보기에 활동적으로 드러날 뿐이다.

　열매는 항상 수동적일 때 맺힌다. 우리 눈에 안 보이는 순간 밤새 꽃이 핀다. 꽃이 다 떨어지고 아무도 관심을 갖지 않을 그때, 열매가 맺힌다. 어린아이가 활동적이면 귀엽다. 그러나 나이 들어서도 안절부절못하고 어수선하게 움직이면 징그럽다. 야곱의 초반부 인생은 활동적이었다. 그는 기다리지 못했다. 매순간 무언가 하려고 나섰다. 그렇지만 그래서 대체 무엇을 이루었는가?

　그러나 야곱의 후반부 인생은 달랐다. 그는 기다린다. 베냐

민을 애굽으로 보낼 때에도 "잃으면 잃으리로다" 하는 자세로 맡겨버렸다. 창세기 37장 이후 야곱은 독립적인 인물이 아니라 요셉의 여러 기사의 배경 인물로 등장한다. 주연에서 조연으로 바뀐 것이다. 그런데 그런 조연의 때에, 수동적인 위치에서 그는 가장 많은 열매를 맺었다. 열두 아들을 변화시켰고 애굽의 바로를 축복했다.

사랑하고 기다려라. 믿고 기다려라. 여기에 하나님의 뜻이 있다. 그렇지만 우리가 그 뜻이 무엇인지 전부 다 알게 되는 것은 아니다. 몰라도 그냥 하나님이 보내시는 곳으로 가라. 그러면 안 되는가? "내 주여 뜻대로 행하시옵소서"라고 찬송하며 가라. 그러면 안 되는가? 하나님 안에서 자기를 발견한 사람은 하나님의 뜻에 복종하고 세상을 받아들이기 시작한다. 그런 사람을 따르면 흔들림 없는 곧은 인생을 살 수 있다.

누가 리더인가? 누가 쓰임 받는 사람인가? 하나님의 음성을 듣는 사람이다. '이 시대의 선지자'라는 평가를 받은 A. W. 토저는 이렇게 말했다.

"Listen to the man who listen to God" (하나님의 음성을 듣는 그 사람의 말을 들으라).

하나님의 음성을 듣는 것이 지도력의 출발이다.

여유로움

하나님 안에서 자신을 용납하게 되면 다른 사람도 용납하게 된다. 그리하여 삶의 많은 부분에서 여유를 찾게 된다. 여유가 있으면 어려운 문제도 쉽게 푸는 창의력이 생긴다.

홍정길 목사님이 겪은 일화를 들은 적이 있다. 교회가 한창 부흥하고 있었다. 교회가 부흥하다보면 교회 내부의 사역뿐만 아니라 대외적으로 한국교회를 섬겨야 할 부분도 많이 생기게 된다. 홍 목사님도 교회 안팎의 많은 사역뿐만 아니라 약하고 소외된 자들을 위한 사역을 감당하느라 대단히 바쁘셨다.

그런데 권사회에서 두 차례나 정기모임 예배를 인도해달라고 부탁해왔다. 그렇지만 목사님은 다른 일정 사정상 매번 약속한 모임에 나가지 못했다고 한다. 급기야 권사회 내부에서

섭섭한 마음을 품게 되었는데, 세 번째 약속마저 지키지 못할 상황이 되었다.

원래 교회에서는 이렇게 사소하고 작은 일로 분쟁이 시작되곤 한다. 부교역자들마저 분위기가 심상치 않다고 느꼈는지 이번 일은 목사님이 직접 나서야 할 것 같다고 직언했다. 그래서 목사님도 부담스러운 마음을 안고 권사회 모임을 찾았다. 분위기는 냉랭했다. 다리 꼬고 앉은 분, 일부러 외면해버리는 분들까지 있었다. 찬바람이 감돌았다. 그때 목사님의 한마디가 분위기를 녹여버렸다.

"누님들, 화 푸세요."

이 말 한마디에 꼰 다리가 풀어졌고, 굳어진 얼굴에 화색이 돌기 시작했다. 이후 권사회는 목사님의 보호 세력이 되었다고 한다. 누가 뭐라고 하면 나서서 목사님을 옹호했다. 당신들이 뭔데 나서냐고 하면 "나 '누님들' 이다"라고 말하게 되었다. 이것이 여유이다. 하나님 안에서 자신을 발견한 사람은 남들이 전혀 갖지 못하는 여유로움을 누리게 된다.

고난의 힘

하나님이 함께하신다는 확신은 여유와 함께 자신감을 준다. 어떤 상황, 어떤 조건이라도 유익이 된다는 것을 믿게 되는 것이다. 그래서 상황 때문에 흔들리지 않는다. 성도에게는 합력하여 선(善)을 이루는 하나님의 도우심이 있다. 핍박과 고난을 좋아하는 사람은 없다. 그러나 핍박과 고난을 통해서 성도는 생각지도 않은 유익을 얻곤 한다.

야곱이 원래 있어야 할 자리는 가나안이었다. 형 에서의 위협을 피하기 위해 잠시 떠났을 뿐이다. 그런데 야곱은 20년 넘게 삼촌 라반의 집에 머물게 된다. 20년이라면 원래의 사명을 잊고 안주하기 쉬울 만큼 충분히 긴 시간이다. 이때 라반과 그의 아들들의 핍박이 시작된다. 야곱을 바라보는 그들의 낯빛이 좋지 않았다. 그러나 라반의 박대는 야곱에게 축복이었다. 라반이 계속해서 그를 환대하고 친절을 베풀었다면, 야곱이 라반의 집을 떠났겠는가? 그들의 박대와 핍박은 야곱이 라반을 떠나 가나안으로 가게 만드는 동기가 되었다. 우리는 종종

"신앙생활을 잘한다면 왜 고난이 있겠는가?"라고 의문을 품는다. 그러나 핍박과 고난은 우리가 있어야 할 그 자리로 우리를 움직이게 만드는 동력이 된다.

이스라엘 백성은 애굽에서 많은 핍박을 당했다. 오랜 노역에 시달렸고 급기야 아들을 낳으면 죽임을 면치 못하는 상황에 처하기도 했다. 그렇지만 이스라엘은 애굽에서 400년이나 살았다. 이제 애굽은 그들의 고향이 되었다. 그렇기 때문에 더더욱 이렇게 심한 핍박이 필요했는지도 모른다. 이런 억압이 없었던들 그들은 고통 중에 하나님께 부르짖지도, 모세의 말을 듣고 출애굽하지도 않았을 것이다. 핍박과 고난은 이스라엘을 출애굽하게 만들었다. 원수의 적대도 하나님의 도구이다. 나를 잘되게 만드는 인도하심이라는 말이다. 핍박과 고난 속에서 하나님의 인도하시는 손길을 느껴라.

야곱은 라반을 떠나기 전까지 그의 아내들에게 하나님을 제대로 전하지 않은 것 같다. 그런 그가 가족을 데리고 떠나야 할 때가 되자 비로소 하나님을 전하기 시작한다. 꿈에 만난 하나님, 벧엘에서 만난 하나님을 증거하기 시작한다. 위기는 전하게 만든다. 속에 있는 것을 간증하게 만든다. 더 이상 미룰 수 없게 만든다. 가족 중 중병에 걸린 사람이 있다면 평소 전도하지 않던 사람도 초조한 마음으로 복음을 증거하게 된다. 그리고 회복되었다고 하자. 만일 그 가정에 어려움이 없었다면 복음 증거도 없었을 것이다. 이렇듯 고난은 머뭇거리는 우리를 재촉하게 만드는 힘이 있다.

야곱의 가정은 그의 여러 아내들 때문에 평안할 날이 없었다. 특히 레아와 라헬은 자매이면서 서로 라이벌이었다. 의견이 일치하는 일이 거의 없었다. 그런데 아버지 라반을 떠나는 문제에서는 서로 하나가 된다. 이때 두 여자는 처음으로 '우리' 라는 표현을 쓴다. 하나됨을 체험한 것이다.

"아버지가 우리를 팔고 우리의 돈을 다 먹었으니 아버지가 우리를 외인(外人)으로 여기는 것이 아닌가 하나님이 우리 아버지에게서 취하신 재물은 우리와 우리 자식의 것이니"(창 31:15,16).

하나님의 말씀에 순종하는 길을 걸으면 나의 오래된 문제가 풀리기 시작한다. 하나님을 삶의 우선순위에 두라. 그러면 내 삶의 고질적인 문제들이 해결될 것이다.

자신감을 회복하는 도전 인생

유대인들은 안식일에 3가지를 점검한다.

첫째, 그들은 뒤를 돌아본다. 과거를 점검하는 것이다.

내가 과연 제대로 된 인생을 살았는지, 나의 열심이 정당한지, 정직한 인생을 살았는지 자신을 돌아보는 반성적 자아가 없는 사람은 분주하기만 한 허황된 인생을 산 것이다. 그렇다고 자신만 쳐다보면 거기서 독(毒)이 나온다. 지나치게 자아 분석적이라면 좌절과 우울증에 빠지는 경우가 많다.

둘째, 위를 올려다본다. 하나님을 바라보는 것이다.

여호와를 앙망하는 자는 새 힘을 얻는다. 하나님을 바라보는 순간 내 안에 있는 독이 제거된다. 은혜의 체험을 하게 되어 새 힘을 공급받는다.

셋째, 앞을 내다본다. 미래를 바라보며 행동하는 발걸음을 내딛는다는 말이다.

하나님께서 함께하신다는 확신과 자신감을 가지고 미래를 향해 질주하는 인생을 산다. 확신과 자신감으로 무장한 성도는 실제적인 능력을 갖춘 사자가 된다. 사자는 조용히 말해도 무섭다. 그러나 토끼는 인상을 쓰고 말해도 무섭지 않다. 표정보다 중요한 것은 능력이다. 하나님과 연결된 인생은 강력하다. 강력한 삶, 이것이 바로 성도의 삶이다. 모두들 자신감을 회복하고 남이 아닌 자기 자신의 인생을 살아가는 강력한 인생이 되기를 바란다.

전병욱

CONTENTS

차례

Confidence

Chapter 1

남으로 살지 말고
자기 자신으로 살라

사랑을 모르는 사람은 자기를 부정하며 남이 되려고 발버둥치며 산다.
자신을 받아들이기 힘들어도 자신을 받아들일 때 영광이 드러난다.
남이 아닌 자기 자신으로 살아가는 인생에게만
하나님의 형상으로 창조된 사람으로서의 영광이 임한다.

· · · · · · ·

마음이 가난한 사람의 매력

기독교의 핵심은 사랑이다. 예수를 믿는다는 것은 사랑을
아는 사람이 되는 것이다. 사랑을 아는 사람의 특징은 가난한
마음에 있다. 예수님도 팔복(八福) 중 첫 번째 복을 '가난한
마음'이라고 하셨다.

"심령이 가난한 자는 복이 있나니 천국이 저희 것임이요"
(마 5:3).

마음이 가난한 사람이란 부족함을 느끼는 목마른 마음을 가
진 사람이라는 말이다. 마음이 가난한 사람은 영적으로 복될
뿐 아니라 일상생활에서도 매력적으로 다가온다. 부유한 마

음보다 매력 없는 것은 없다. 흥미 없는 표정, 호기심 없는 얼굴은 다시 쳐다보고 싶지도 않다.

내가 쓴 칼럼 중에서 가장 많은 사람들이 보았고, 가장 뜨거운 반응을 보인 칼럼이 있다. 칼럼 제목은 '왜 늙은 남자는 젊은 여자를 좋아하는가?' 이다. 간략하면 다음과 같다.

삼일교회 초창기부터 헌신한 형제가 있었다. 35세가 되었는데도 장가를 가지 않고 버티기에 내가 물었다.

"좋아하는 자매가 있으면 말해보라. 내가 추천해주마."

자매들은 대개 자기 마음을 자기도 모른다. 백화점에 물건 사러 갈 때에도 꼭 친구를 데리고 간다. 왜 그런가? 스스로 결정하는 것이 미덥지 않아 혼자 결정해야 하는 상황을 꺼리기 때문이다. 누군가를 사귀는 문제도 그렇다. 그럴 때 영적 리더가 한 사람을 추천한다면, 10퍼센트 내지 20퍼센트쯤 마음을 움직이는 데 도움이 될 것이다.

머뭇거리던 형제가 어렵게 말을 꺼냈다. 그 형제가 말하는 자매는 이제 겨우 21살 된 자매였다. 듣는 순간 나는 분노가 치밀어 올랐다. 나의 첫마디는 "뻔뻔한 녀석 같으니!" 였다.

"너 때문에 교회 부흥에 큰 장애가 되겠다. 14살이나 차이가 나는데 무슨 교제냐? 사람이 염치가 있어야지!"

내 말을 순순히 듣고 있던 형제가 나중에 그 연유를 설명하기 시작했다. 자신도 그 나이가 될 때까지 많은 여자를 만나보았다고 했다. 그렇지만 그는 결코 그리 많은 여자를 만난 적이 없다. 그의 설명은 계속되었다. 젊은 여자를 만나면 일단 무슨 말을 하든지 어디를 데리고 가든지 무슨 음식을 사주든지 놀라는 반응을 보인다는 것이다.

맛있는 음식을 사주면, "아, 맛있어요. 정말 놀라워요. 이런 음식은 먹어본 적이 없어요"라고 기뻐한다. 아직 어리다보니 다양한 음식을 맛보지 않아 항상 가난한 마음으로 감동하는 것이다. 그래서인지 더욱 매력적으로 느껴지고 심지어 자신이 이 자매를 먹여 살리기 위해 이 땅에 태어났다는 사명감까지 느낀다고 했다.

경치 좋은 곳으로 가서 데이트를 해보아도 젊은 여자는 다르다. 매번 감탄사를 연발한다.

"정말 놀랐어요. 이렇게 경관이 아름다운 산이 다 있네요?"

"이 바다 좀 봐요. 마치 물감을 풀어놓은 것 같아요."

해변을 뛰고 밀려오는 파도와 장난도 치고 물 속으로 첨벙 뛰어들어 물도 끼얹으면서 즐거워하는 여자를 보면 자신이 이 자매를 놀래주고 기쁘게 해주기 위해 이 땅에 보냄을 받았다는 강한 충동을 느낀다고 했다.

반면에 웬만큼 나이를 먹은 여자를 만나면 도무지 놀라지 않는다는 것이다. 어떤 음식을 사줘도 놀라지 않는다. 왜 그런가? 살아온 날이 많다보니 먹어보지 않은 음식이 없다. 심지어 더 맛있는 곳을 가르쳐주겠다고 아는 척이다. 아무리 머리를 짜내어 유명하고 멋진 곳을 데려가더라도 여자는 안 가본 곳이 없다. 심지어 수십 번도 더 와봤다며 무심히 기를 죽인다. 그래서 자신은 결코 나이 많은 여자와 만나고 싶지 않다는 것이 그의 논지였다.

그러나 이 형제가 여자를 나이만으로 구분하여 그 차이를 설명한 것은 큰 착각이다. 가난한 마음, 놀라는 마음의 유무는 나이의 많고 적음으로 구분할 수 있는 것이 아니라 하나님의 사랑을 아느냐 모르느냐의 차이에 달려 있기 때문이다. 아무리 어려도 식상한 표정, 교만한 표정으로 별다른 반응을 보이지 않는 사람도 많다. 왜 그런가? 사랑을 모르기 때문이다. 반면에 환갑이 넘은 권사님이라도 하나님의 사랑을 깊이 깨달을 때 놀라는 반응을 보인다. 얼굴에 홍조를 띤 매력적인 모습으로 다가오곤 한다. 사랑을 아는 사람에게는 가난한 마음이 있다. 그래서 더욱 매력이 있다.

사랑을 모를 때의 삶

야곱의 인생은 창세기 32장을 기점으로 대별된다. 얍복 강가에서 하나님을 만나기 이전과 이후 야곱의 삶은 완전히 달라졌다. 하나님의 사랑을 알기 전과 하나님의 사랑을 알고 난 후 달라진 야곱의 모습을 창세기 32장을 중심으로 살펴보자. 특히 사랑을 모를 때 어떤 인생을 살게 되는지 주의해보라.

첫째, 사랑을 모르는 사람은 두려움으로 산다

야곱은 항상 쫓기는 인생을 살았다. 하나님이 주신 삶의 축복을 누리지 못하는 인생이었다. 그는 항상 경쟁해야 한다는 생각을 품고 살았다. 창세기 32장 22절을 보면, 그는 밤에 일어났다. 왜 밤에 일어나는가? 밤은 잠 자라고 있는 시간이다. 그런데 그는 밤에 일어나 홀로 새벽까지 씨름했다. 한마디로 피곤한 인생을 살아간다. 그는 안식이 없는 인생을 살았다.

강가에서 그는 낯선 존재와 대면한다. 나중에는 그가 천사인 줄 알지만 처음에 그는 낯선 사람으로 다가왔다. 대개 낯선 사람과 만나면, 서로 인사하고 환대하는 것이 상식이다. 그런데 야곱은 낯선 사람을 만나는 순간 그와 싸워야 한다고 생각했다. 항상 투쟁하고 획득해야 한다는 생각으로 살아왔기 때문이다.

어떤 형제가 있었다. 그런데 그의 친척이 교회에 나온다고 하자 그가 분한 마음을 품고 나를 찾아와 하는 말인즉, 교회가 그를 받아들여시는 안 된다는 것이었다. 극단적인 그의 말이 이상하게 들려서 나는 자초지종을 물었다. 그 형제의 집안은 그리 넉넉하지 않았다. 그에게 친척이라는 존재는 항상 돈을 빌려가고, 보증 때문에 고초를 당하게 만들고, 해를 입히는 이들이었다. 친척이 그에게 상처가 되자 그는 모든 친척들에게 적대감을 품고 있었던 것이다.

한 자매는 남자들을 경멸한다. 남자를 싫어한다. 남자는 모두 늑대라느니 짐승이라는 말을 자주 했다. 모르기는 해도 20대 초반에 나쁜 남자들을 몇 명 만난 것 같다. 나는 그 자매에게 이렇게 충고했다.

"네가 도대체 남자를 몇 명이나 안다고 모든 남자를 경멸하느냐? 도매금으로 모든 남자를 매도하지 마라. 좋은 남자도 많다."

과거의 아픔이 현재의 상처로 남는 경우가 많다.

야곱은 그의 할아버지 아브라함과 사뭇 달랐다. 아브라함은 낯선 사람을 환대하다가 결정적으로 자기 가정의 자녀 문제에 대한 해답을 얻었다. 아브라함은 환대하는 사람이었다. 그러나 야곱은 낯선 사람을 대적하는 적대적인 사람이었다. 사랑의 확신이 없는 사람은 두려움 가운데 상대를 적대하게 된다. 도무지 삶에 자신감이 없기 때문이다.

두려움이 왜 나쁜가? 두려움이 자유를 앗아가기 때문이다. 요한일서 4장 18절 말씀을 보면, 두 종류의 삶의 패턴이 있음을 알 수 있다.

"사랑 안에 두려움이 없고 온전한 사랑이 두려움을 내어쫓나니 두려움에는 형벌이 있음이라 두려워하는 자는 사랑 안에서 온전히 이루지 못하였느니라."

즉, 세상은 사랑으로 살아가는 방법과 두려움으로 살아가는 방법이 있다. 두려움의 반대말이 사랑이다. 사랑으로 살든지, 두려움으로 살든지 둘 중 하나라는 말이다.

사랑으로 살면 자유를 누린다. 자유를 누린다는 것은 다스린다는 말이다. 사랑의 능력이 있으면 다스린다. 하나님이 주신 인생을 누리며 살아가게 된다. 그러나 사랑이 없으면 정죄하며 살아간다. 정죄하는 분위기에서 사람은 자연히 두려움을 느낀다. 남의 눈에 띄지 않으려고 노력하며 약점을 잡히지 않으려고 숨어 지낸다. 정죄하는 문화에서는 다들 가면을 쓰고 살아가게 되어 있다. 방호벽을 쌓고 겹겹이 껍질을 두른 채, 자기 자신의 모습이 아닌 가짜로 산다. 자신의 모습 그대로 살 수 없기 때문에 성숙이나 성장도 기대할 수 없다. 안타까운 일이다.

가면놀이

어떤 동물원이든 인기 있는 동물이 있게 마련이다. 어린이들의 이목을 사로잡는 것은 대개 원숭이나 고릴라 같은 유인원류이다. 한 동물원에서 가장 많은 인기를 모았던 고릴라가 죽었다. 고릴라를 다시 수입하려면 돈이 많이 들고 시간도 적지 않게 걸린다. 또 인기 있는 고릴라가 없으면 사람들이 동물원을 찾지 않아서 수지를 맞출 수도 없다. 이때 고심하던 동물원장이 한 가지 아이디어를 냈다. 고릴라 가죽을 벗겨서 사람에게 입힌 다음 고릴라 시늉을 하도록 하자는 것이었다.

결국 이 일을 할 사람을 뽑았고 그에게 고릴라 가죽을 쓰고 고릴라 우리에 들어가도록 했다. 고릴라 탈을 쓴 채 우리 안을 어슬렁거리기만 해도 되었을 것을, 이 사람은 어찌나 직업의식이 투철했는지, 바나나를 먹기도 하고 그네도 타면서 진짜 고릴라처럼 연기를 하기 시작했다. 어린이들은 환호하며 고릴라 우리 앞에 더 많이 모여들었다. 뜨거운 반응에 고무된 그는 공중그네 타기, 연속 텀블링 등 계속해서 다양한 묘기를 선보였다. 그런데 그가 공중그네에서 3회전 돌기를 하다가 그만

실수로 옆에 있는 사자 우리로 떨어지고 말았다. 기겁한 그가 고릴라 가죽을 벗으려고 안간힘을 쓰면서 "사람 살려"라고 소리치려는 그 순간, 사자가 다가와 그의 입을 가리며 이렇게 말했다.

"입 다물어, 인마. 요즘처럼 취직하기 힘든 세월에 두 사람 일자리를 다 잃게 만들고 싶어?"

결국 그 사자도 가짜였던 것이다.

내 모습 그대로

우리는 지금 가면을 쓴 사람이 가면을 쓴 사람을 만나는 것 같은 인생을 살고 있다. 교회에 오래 다니면 변화되어야 하는데, 변화되는 것이 아니라 가면 쓰는 일에 능숙해져가는 모습을 발견할 때가 많다. 변화가 아니라 점점 더 연기에 물이 오르는 경우가 많다.

교회에서 쓰는 가면이 다르고, 집에서 쓰는 가면이 다르고, 직장에서 쓰는 가면이 다 다르다. 나이가 들어가면서 들키지도 않게 완벽한 연기를 한다. 그리고 그것을 신앙의 성장이라고 착각한다. 정말 안타까운 일이다.

교회에서 예배드리고 온 다음 피곤하다고 말하는 사람이 있다. 왜 예배를 드리고 나서 피곤함을 느끼는가? 가면놀이 하다가 왔기 때문이다. 가식적으로 행동하다가 오니까 피곤할 수밖에 없다. 가장 진실한 모습으로 예배드렸다면 위로와 안식을 누리게 되지 고단하게 느껴지지 않을 것이다.

삼일교회는 주일 저녁예배에 가장 많은 교인들이 모인다. 저녁 8시라는 늦은 시간에 드리는 예배, 그것도 앉을 자리가 없어서 바닥에 앉아서 드리는 사람이 많은 불편한 예배인데도 많은 사람들이 숙명여대 강당을 가득 메운다. 왜 그런가? 하루 종일 가면을 쓰지 않은 모습으로 예배를 드렸기 때문에 주일 저녁이 되어도 지치지 않고 다시 예배드릴 수 있는 것이다.

부족하면 어떤가? 연약하면 어떤가? 자신의 모습 그대로 정직히 하나님 앞에 나아갈 때 하나님의 치유와 은혜를 누리며, 서로 불쌍히 여길 때 회복과 안식을 경험하게 된다는 것을 기억하라.

"예수께서 들으시고 이르시되 건강한 자에게는 의원이 쓸 데없고 병든 자에게라야 쓸 데 있느니라"(마 9:12).

우리는 예수님 앞에 병든 자로, 죄인으로 서야 한다. 그래야 치유받고 구원받는다.

하나님의 사랑을 확신하는 사람은 자신의 가면을 내려놓는다. 하나님 앞에서 자신감을 회복하고 자신의 모습 그대로 하나님 앞에 무릎 꿇고, 하나님의 품에 안긴다. 하나님의 사랑을 확신하는 사람은 비로소 세상을 향해 마음을 열기 시작한다. 하나님이 지으신 만물을 누리기 시작한다.

잡지도 놓지도 못하는 아이

야외로 소풍을 나간 아빠와 엄마 그리고 아이를 한번 상상해보라. 아빠 엄마의 손을 잡고 빙그르르 공중을 나는 비행기 놀이를 하는 아이의 얼굴에는 아빠 엄마의 사랑에 대한 강한 믿음이 차오른다. 행복한 기쁨이 흘러넘친다. 자신감으로 빛이 난다.

사랑을 확신하는 아이는 이제 아빠 엄마의 손을 놓고 아름다운 꽃에게 말을 건다. 날아오르는 나비를 따라 뛰어간다. 전혀 불안해하지 않는다. 그저 그렇게 자기 앞에 열린 세상을 누리기 시작한다.

반대로 아빠 엄마의 사랑을 확신하지 못하는 아이는 아빠 엄마의 손을 잡고 있어도 안심하지 못한다. 아름다운 꽃에게 시선을 보내지 않는다. 나비가 날아도 안중에 없다. 아빠 엄마의 사랑을 확신할 수 없기 때문이다. 엄마는 1시간 있다가 온다고 하고서 카바레에서 밤을 새고 들어온다. 아빠는 일주일 후에 온다고 하더니 3년이 지나도 종무소식이다.

그런데 어떻게 아빠 엄마를 믿고 그 사랑을 확신할 수 있겠는가? 그런데 어떻게 꽃을 향해 나비를 향해 눈길을 주며 길을 나설 수 있겠는가? 아빠 엄마의 사랑을 확신하지 못하는 아이에게는 엄마의 치맛단을 꼭 잡고 절대 놓지 않겠다는 집념만 있을 뿐이다.

결국 사랑을 확신하지 못하는 아이는 세상의 아름다움을 알지도 못하고 누리지도 못한다.

Let it be

하나님의 사랑을 확신하는 사람은 자기를 용납한다. 그래서 자기가 얼마나 귀중한 존재인지를 인식한다. 그리고 자기를 있는 모습 그대로 허용한다. 자기를 허용할 수 있는 사람만이 상대를 고유한 모습 그대로 허용할 수 있다.

나는 비틀즈의 'Let it be'라는 노래를 좋아한다. 특히 후렴의 "렛잇비, 렛잇비"는 마치 한국말의 "내비둬, 내비둬"와 어감까지 비슷하다. 노래 가사는 대충 이렇다.

"곤경에 처했을 때 마더 메리가 말했지. '그냥 놔둬라.' 어둠 속을 헤매고 있을 때도 말했지. '그냥 놔둬라.' 상한 마음으로 살아가는 사람들에게도 '그냥 놔둬라.' 헤어진다고 헤어지는 게 아냐. 또 만나게 된다. '그냥 놔둬라.'"

신앙이란 모든 것을 모든 것 그대로 두는 것이다. 우리는 "의인(義人)은 없나니 하나도 없다"(롬 3:10)는 것을 안다. 이 세상에 완전한 의인은 존재하지 않는다.

그렇다면 우리의 태도는 둘 중 하나이다. 있는 그대로 그냥 받아들이든지 아니면 정죄하는 것이다. 그러나 정죄는 하나님의 뜻이 아니다. 그렇다면 그냥 받아들이는 것 외에는 다른 대안이 없다.

나는 종종 머리카락을 이식하라는 말을 듣는다. 모발 이식을 잘하기로 소문난 병원을 소개하겠다는 사람도 있다. 그러나 나는 머리 빠진 모습 그대로 살고 싶다. 그냥 내 모습 그대로 좀 살면 안 되는가? 눈이 작으니 쌍꺼풀 수술을 해보라고 권하는 사람도 있다. 그냥 하기 힘들면 눈썹이 눈을 찌른다고 하고 하면 된단다. 어떤 사람은 대통령도 쌍꺼풀 수술을 했으니 나더러도 하라고 말한다.

하지만 나는 그냥 이대로 살려고 한다. 주어진 모습 그대로 만족하며 사는 것을 하나님께서 기뻐하시리라 생각하기 때문이다. 나는 하나님이 주신 것에 감사하고 만족하며 사는 것이 하나님께 영광을 돌리는 일이라고 생각한다.

나에게는 딸이 둘 있다. 둘 다 나를 닮았다. 그런데 만일 이 아이들이 항상 괴로워하면서 자기는 어째서 아빠를 닮아 이렇게 못생겼느냐고 하며 운다면 아빠인 나의 마음이 얼마나 아프겠는가? 그렇지만 우리 아이들은 그렇지 않다. 아빠를 닮아서 좋다고 한다. 딸이 아빠를 닮으면 잘산다고 하면서 즐거워한다. 나는 그것이 내게 영광이 되는 것을 느낀다.

하나님은 내게 좋은 것을 주셨다. 하나님이 주신 것을 기뻐하고 만족하며 사는 것이 영광을 돌리는 인생이다. 사랑의 확신과 자신감이 있는 사람은 두려움이 아니라 자기에게 주어진 인생을 감사하며 기뻐하며 산다.

둘째, 사랑을 모르는 사람은 자기 자신으로 살지 못하고 남으로 산다

천사가 야곱에게 묻는다.

"네 이름이 무엇이냐 그가 가로되 야곱이니이다"(창 32:27).

야곱이 자신을 '야곱'이라고 밝힌 최초의 구절이다. 야곱은 자기가 야곱인 것이 싫었다. 그래서 항상 야곱임을 부정하며 살았다. 자기로 살지 않았다. 손으로 형 에서의 발꿈치를 잡고 태어났다는 것은 상징적인 의미가 있다. 야곱은 자기가 싫고 형 에서가 되고 싶었던 것이다. 그는 둘째가 싫었다. 왜 나는 장남이 아닌지 고뇌하며 살았다.

우리 안에도 자기가 싫은 사람들이 많다. 왜 나는 첫째가 아

닌가? 왜 나는 남자가 아닌가? 왜 나는 한국에서 태어났는가? 왜 나는 명문대학을 나오지 못했는가? 항상 자기를 부정하며 남이 되려고 발버둥치면서 사는 인생이다.

야곱은 팥죽 한 그릇으로 형의 장자권을 샀다. 그러나 장자권은 사고팔 수 있는 것이 아니다. 그런데도 야곱의 장자권을 향한 집념은 식을 줄 몰랐다. 자신을 부인하면 행복이 없다. 야곱은 야곱으로 살아야 한다. 자기 자신으로 살지 못하니까 불안하고 답답한 것이다.

야곱이 아버지 이삭으로부터 축복을 받을 때에도 야곱은 야곱으로 축복을 받은 것이 아니라 에서로서 축복을 받는다. 이삭이 말한다.

"이삭이 야곱에게 이르되 내 아들아 가까이 오라 네가 과연 내 아들 에서인지 아닌지 내가 너를 만지려 하노라 야곱이 그 아비 이삭에게 가까이 가니 이삭이 만지며 가로되 음성은 야곱의 음성이나 손은 에서의 손이로다"(창 27:21,22).

이 말을 듣고 야곱이 얼마나 당황했을지 상상해보라. 등에 소름이 끼쳤을 것이다. 에서를 축복한다고 착각한 이삭이 다시 한 번 묻는다.

"네가 참 내 아들 에서냐 그가 대답하되 그러하니이다"(창 27:24).

나는 이 장면을 보면서 눈물이 났다. 이삭이 에서냐고 물을 때, 자신을 에서라고 대답하는 야곱의 심정이 어땠겠는가? 야곱이 야곱으로 살지 못하면서 당하는 심적 고통이 느껴지는 장면이다. 사랑의 확신이 없는 사람은 거짓과 위선의 가면을 뒤집어쓰고 살아간다. 자신을 위장하기 위해 시간과 돈을 들인다. 학력, 계급, 권력까지 동원한다. 참으로 안타까운 일이다.

"기록된바 내가 야곱은 사랑하고 에서는 미워하였다 하심과 같으니라"(롬 9:13).

나는 이 구절이 하나님의 택하심을 보여주는 구절이라고 믿는다. 성경을 다양하게 해석할 때, 거기서 얻게 되는 일정한 유익이 있다. 일전에 이 구절에 관한 문학적인 해석을 들어본 적이 있다.

"하나님은 야곱이 야곱으로 살아갈 때 사랑하신다. 그러나 야곱이 에서로 살아갈 때 그것은 미워하신다."

나는 이 해석이 상당한 통찰력을 제공해준다고 생각했다. 이 해석을 따른다면, 하나님은 남으로 살지 않고, 자신으로 살아갈 때 그를 사랑하신다고 이해할 수 있다. 야곱은 야곱으로 살아야 한다.

헬런 켈러로 산다는 것

자신을 사랑할 수 없고, 심지어 자신을 인정하기 힘들어도 자신을 받아들일 때 영광이 드러난다는 것을 아는가? 하나님의 사랑을 드러낸 20세기 최고의 사상가로 헬런 켈러를 들 수 있다.

헬런 켈러는 삼중고(三重苦)를 겪은 사람이었다. 그녀는 보지 못하고, 듣지 못하고, 말하지 못했다. 보지 못하고, 듣지 못하고, 말하지 못했다는 것은 바깥세상과 완전히 단절되었다는 것을 의미한다. 살았다고 하나 진정으로 살 수 없는 조건임에 틀림없다. 이런 조건으로 생을 살라고 하면, 하늘을 향해 삿대질을 한다고 해도 비난하거나 말리기 어려울 것이다.

"하나님, 도대체 나를 왜 이 따위로 만들어놓았습니까? 이렇게 만들어놓고 세상을 살라는 것이 말이 됩니까? 당신은 너무 잔인한 분 아닙니까?"

헬런 켈러의 상황은 이렇게 분노하기에 충분할 만큼 암울했다. 그러나 그녀는 감사하고 감격하는 인생을 살았고, 오히려 자신을 통해서 가치를 흘러가게 만드는 존재였다. 헬런 켈러는 20세에 하버드 대학의 레드클리프 칼리지(Radcliffe College)에 입학했다.

헬런 켈러가 대학을 다니던 20세기 초반에는 신흥 재벌들이 출현하기 시작했다. 그리고 개인이 감당하기 어려운 많은 부(富)를 소유하게 되자 이들은 덜컥 겁을 먹게 되었다. 큰 부자는 오히려 도덕적이다. 자신이 감당하기 힘든 부를 소유하게 되었을 때, 두려움과 함께 일종의 사명감을 느끼기 때문이다. 그래서 카네기 같은 사람도 많은 돈을 장학금으로 내놓았다.

헬런 켈러와 같은 처지에 있는 사람에게 장학금을 주는 것은 주는 사람에게도 상당한 기쁨과 보람이 된다. 그래서 카네기도 헬런 켈러에게 장학금을 수여하려고 했다. 그런데 당시 20세이던 헬런 켈러에게는 원고를 쓰고 받는 일정한 액수의 수입이 있었다고 한다. 헬런 켈러는 카네기의 장학금 제안을 정중히 거절했다. 그리고 이렇게 말했다.

"나보다 더 어려운 사람, 그 장학금이 더 필요한 사람에게 주십시오. 저는 충분한 수입이 있습니다."

나도 이런 인생을 키우고 싶다. 흔히 사람들은 돈이 있는데도 장학금을 타려고 한다. 그러나 장학금을 받는 것보다 장학금을 주는 인생이 더 훌륭하지 않을까? 형편이 된다면 굳이 장학금을 받을 필요가 있는가? 좀 더 어려운 사람에게 양보해도 좋은 일이 아닌가?

헬런 켈러는 최악의 상황 속에서도 그를 통해서 가치가 흘러가게 만드는 위대한 영혼이었다. 삼중고의 헬런 켈러도 자기 인생을 사는데, 그 누가 자기를 부인하고 남으로 살아가려고 하는가? 남이 아닌 자기로 사는 인생에게만 하나님의 형상대로 창조된 사람으로서 영광이 임한다.

셋째, 사랑을 모르면 세상과 단절된 삶을 살아간다

나중에 야곱은 애굽의 바로를 만나 이렇게 말한다.

"내 나그네 길의 세월이 일백삼십 년이니이다 나의 연세가 얼마 못 되니 우리 조상의 나그네 길의 세월에 미치지 못하나 험악한 세월을 보내었나이다"(창 47:9).

이것은 평상시 야곱의 어법이 아니다. 야곱은 자기 약점을 남에게 쉽사리 토로하는 사람이 아니었다. 그는 가면을 쓰고 없어도 있는 척, 약해도 강한 척하며 살아가는 사람이었다. 그런데 그가 지금 자신의 약점을 토로하고 있다.

왜 그런가? 하나님의 사랑을 확신하게 되자 벽을 허물고 나와 세상을 살아갈 수 있게 된 것이다. 나중에는 바로를 축복하기도 했다. 하나님의 사랑을 확신하고 회복하자 좋은 것을 유통하는 인생이 된 것이다. 생명의 풍요가 그를 통해서 흘러가는 복의 근원이 된 것이다. 기쁨으로 축복할 줄 아는 인생, 교류하고 소통하는 인생이 하나님의 사랑을 깨달은 백성의 특징이다.

세상의 중심에서 진정으로 사랑하기

예수님은 이 세대의 특징을 이렇게 설명하셨다.

"이 세대를 무엇으로 비유할꼬 비유컨대 아이들이 장터에 앉아 제 동무를 불러 가로되 우리가 너희를 향하여 피리를 불어도 너희가 춤추지 않고 우리가 애곡하여도 너희가 가슴을 치지 아니하였다 함과 같도다"(마 11:16,17).

한마디로 슬퍼할 줄 모르고, 기뻐할 줄 모르는 세대가 되었다는 말이다. 최근 3,4년 사이에 진정으로 슬퍼했던 적이 언제인가? 진정한 슬픔이란, 가슴이 찢어지고 식음을 전폐해가며 아파하는 것을 의미한다. 적어도 나에게는 없다. 그래서 기간을 확대해보았다. 44년을 사는 동안 통산 몇 번이나 진정으로 슬퍼했던가? 정직히 헤아려보니 딱 4번 있었다. 2번은 여자 문제로, 2번은 다른 문제로 슬퍼했다. 그렇다면 사실상 전 인생을 통해서 딱 4번 진지하게 살았던 셈이다. 슬픔도 모르고 깊이도 모르면서 살아왔다.

다시 한 번 묻겠다. 최근 3,4년 사이에 진정으로 기뻐한 적이 언제인가? 진정한 기쁨이란, 더 이상 바랄 것이 없는 완전한 만족 상태, 이대로 죽어도 좋다고 고백할 만한 상태를 의미한다. 온 우주의 기쁨이 내게 밀려온다고 느낄 때이다. 사실 나에게는 그런 적이 없었다. 한마디로 기뻐하지도 슬퍼하지도 못하며 살아왔다. 다른 사람을 향해 비난과 정죄만 쏟아놓는 치졸한 인생을 산 것이다.

"요한이 와서 먹지도 않고 마시지도 아니하매 저희가 말하기를 귀신이 들렸다 하더니 인자는 와서 먹고 마시매 말하기를 보라 먹기를 탐하고 포도주를 즐기는 사람이요 세리와 죄인의 친구로다 하니 지혜는 그 행한 일로 인하여 옳다 함을 얻느니라"(마 11:18,19).

세례 요한은 세상을 부정하는 방식으로 살았다. 그래서 먹지도 않고 마시지도 않았다. 세상과 완전히 단절된 인생을 살았다. 반면에 예수님은 세례 요한과 정 반대로 사셨다. 예수님은 세상을 수용하셨다. 그래서 세리와 창기와 함께 먹고 마셨다.

그랬더니 사람들이 그를 환영했는가? "역시 예수님처럼 살아야 해!"라고 지지했는가? 아니다. 오히려 먹기를 탐하고 포도주를 즐기는 사람이라고 비난했다. 무슨 말인가? 이래도 저래도 비난당했다는 말이다. 즉, 살아가는 모든 모습을 정죄했다는 것이다. 정죄하는 사람에게 삶은 없다. 아픔도 기쁨도 모른다. 살았으나 죽은 것이다.

나는 남자친구와 4년쯤 사귀다가 헤어지고 난 다음 깊은 슬픔에 잠기는 자매를 선하게 여긴다. 아픔을 아는 인간적인 사람이기 때문이다. 기르던 개가 죽어도 슬픈데, 사랑과 그 밖의 소소한 감정까지 함께 나누던 사람과 헤어지고 난 뒤 어떻게 정상적으로 생활할 수 있겠는가? 아픔을 아는 사람이 더 진실하고 더 깊은 기쁨을 누리는 것을 나는 여러 번 보았다. 울지 못하는 사람은 위험한 사람이다. 잔혹한 사람이다. 어떤 일을 벌일지 모르는 사람이다.

울다가 웃은 결혼식

삼일교회는 젊은이들이 많은 교회이다. 미혼의 젊은이가 7천 명 정도 모인다. 한 해에만 450쌍 정도의 청년들이 결혼한다. 그래서 어떤 주말에는 4쌍의 결혼 주례를 해본 적도 있다. 아마 결혼 주례를 나보다 더 많이 한 목사도 드물 것이다. 그런데 주일에 8번이나 설교해야 하고, 토요일에 장시간의 리더

모임도 있기 때문에 주말 결혼 주례가 나에게 큰 부담으로 다가왔다. 그래서 요즘에는 먼저 신청한 한 쌍의 예식 주례만 맡고 있다. 그런데 얼마 전, 이 법칙을 깨고 두 차례나 주례를 한 적이 있다.

어여쁜 한 자매가 있었다. 한창 건강하고 활기차게 살아가야 할 20대에 이 자매가 암 진단을 받았다. 힘든 항암 치료를 받으면서도 늘 웃음을 잃지 않았던 존경할 만한 자매였다. 그리고 지난 가을에 사귀던 형제와 결혼하게 되어 주례를 맡아달라고 찾아왔다. 그런데 암세포가 퍼져서 급히 수술을 하게 되어 결혼이 연기되었다. 그러다가 금년 봄에 다시 결혼 날짜를 잡았다. 그런데 이번에도 역시 암세포가 퍼져서 할 수 없이 재차 결혼을 연기해야만 했다. 이렇게 두 번이나 결혼이 연기되다보니 미안했는지 자매는 더 이상 내게 주례를 요청하지 않았다.

결국 진짜 결혼하는 주간이 다가왔다. 자매가 월요일 새벽기도를 마치고 내게 인사를 하러 왔다. 주말에 결혼한다는 말에 나는 누가 결혼 주례를 맡았는지 물었다. 자매가 우리 교회 어느 부목사님이라고 말했다. 말은 하지 않았지만 내가 결혼

예식을 집례해주기를 바라는 눈치였다. 그래서 내가 먼저 시간대가 틀리니 주례를 맡아주겠다고 말했다. 자매는 무척 기뻐하며 돌아갔다. 결혼 당일 많은 하객들이 이 결혼을 축하하기 위해 모였다.

그날의 신부는 너무나 아름다웠다. 그런데 미소를 짓고 있기는 했지만 눈에 눈물이 가득 고여 있었다. 나는 설교하다가 눈물 흘리는 일을 창피하게 여긴다. 그래서 울지 않겠다고 굳게 다짐해두었다. 그런데 이 자매의 결혼식 주례를 하다가 목이 막히는 체험을 했다. 주례사를 하다가 눈물을 흘려버린 것이다. 정말 주책이다.

새로 부부가 되어 행진을 하려는 순간 몇 발짝 내딛던 신부가 갑자기 주저앉았다. 나는 건강상의 문제로 쓰러지는 줄 알고 무척 놀랐다. 나중에 알고 보니 다행히 그건 아니었다. 신부가 항암 치료를 받으면서 머리카락이 다 빠져서 가발을 쓰고 있었는데, 한 꼬마가 신부의 면사포를 밟는 바람에 가발이 벗겨지려는 순간 신부가 재빨리 주저앉은 것이었다. 순간 나는 웃음이 나왔다. 그리고 또 울었다.

십자가의 가슴

나는 이 자매의 결혼식 주례를 하면서 C. S. 루이스를 생각했다. 루이스는 8세에 어머니를 잃었다. 어린아이에게 어머니는 우주다. 세상의 모든 것이다. 어린 나이에 어머니를 잃는다는 것은 큰 충격이 아닐 수 없다. 어린 루이스는 그때 두 가지 결심을 한다. 첫째, 절대로 울지 않는다. 둘째, 절대로 엄마 생각을 하지 않는다. 왜? 울면 아프기 때문이다. 엄마를 생각하면 아프기 때문이다.

똑똑한 루이스는 어린 나이에 이미 아픔을 피하는 방법을 알고 있었다. 대신 그는 열심히 공부했다. 다른 것에 집중하고 매진해야 아픔을 잊을 수 있기 때문이다. 루이스는 감정의 벽을 쌓고 그렇게 살았다. 10대, 20대를 그렇게 보냈으면 별 문제가 없다. 그런데 루이스는 60세가 넘도록 이런 방식으로 살았다. 그는 사랑도 아픔도 모르는 냉철한 이성주의자(理性主義者)가 되었다.

어쩌면 나도 C. S. 루이스 같은 인생을 살아온 것 같다는 생각이 든다. 요즘 나는 목회가 힘들다는 생각을 한다. 사실 설교가 힘들지는 않다. 설교를 잘하지 못하지만 그다지 잘하려고 애쓰지도 않는다. 단지 하나님이 주신 은혜만큼 전하면 된다고 생각하며 살고 있다. 행정도 그리 어렵지 않다. 좋은 동역자들이 많아서 맡기기만 하면 잘 진행되기 때문이다. 정작 힘든 것은 내 가슴의 용량이다. 나는 성도의 아픔을 잘 품지 못한다. 그것을 품으면 너무 고통스러워서 자꾸 도망치게 된다는 것이 내 솔직한 심정이다.

암 투병하는 자매의 아픔을 접하면서 너무 힘이 들었다. 괴로움이 고통으로 다가왔다. 그 결혼식이 있던 주간에는 돌도 안 된 갓난아기의 장례식이 있었다. 태어나자마자 암에 걸려서 1년도 살지 못하고 죽은 것이다. 담당 목사님이 내게 장례식을 주관해주었으면 좋겠다고 했다. 그 말 속에는 그 자리에 가면 많은 성도들이 좋아하리라, 좋은 영향력을 끼칠 수 있으리라는 뉘앙스가 숨어 있었다. 나도 안다. 그렇지만 나는 가지 않았다. 시간이 없어서가 아니다. 도저히 그 아픔을 감당할 수 없었기 때문이다. 부끄러운 이야기이다.

아픔을 감당하지 못하니까 목회가 힘들다. 어쩌면 그 일은 불가능한 것인지도 모른다. 그래서 합리화하는 방법을 찾았다. 루이스처럼 내 주위에 큰 성벽을 쌓았다. 그리고 그 아래 작은 창을 내서 일주일에 5가지 정도의 아픔만 받아들인다. 그런 다음 성도의 아픔을 공유하는 제스처를 해가면서 간신히 목회해온 것이다. 외식하는 모습이다.

나는 벽을 허물어야 한다고 생각했다. 그리고 밀려오는 아픔을 가슴으로 맞부딪치기 시작했다. 감당하기 힘든 고통이었다. 가슴이 갈기갈기 찢기는 아픔이 느껴졌다. 나는 그것이 예수님의 가슴이요 십자가의 가슴이라는 것을 알았다. 진정한 사랑이란 이렇게 찢긴 가슴으로 죽어야 함을 알았다.

루이스의 사랑

C. S. 루이스는 60세가 넘어서 조이 데이비드맨을 만난다. 대개 루이스 같은 대가(大家)를 만나면 주눅이 든다. 책에 사인을 부탁하는 정도가 보통사람의 행동이다. 그런데 조이 데이비드맨은 달랐다. 그녀는 루이스를 만나자 이렇게 말했다.

"당신은 왜 그 모양으로 삽니까? 당신은 사랑이 뭔지나 압

니까? 당신처럼 사는 것이 인생입니까?"

이런 무례한 도전에는 응당 화를 내며 돌아서게 되는데, 루이스 역시 대가다운 모습을 보였다. 가만히 들어보니 일리가 있었다. 그래서 그는 이렇게 말했다.

"네. 당신이 말한 대로 나는 사랑을 모릅니다. 혹시 당신이 사랑에 대해 안다면 나에게 가르쳐주십시오."

다들 잘 아는 대로 루이스와 데이비드맨은 결혼했다. 결혼할 당시 데이비드맨은 암으로 1년밖에 살지 못한다는 진단을 받았다. 그런데 결혼한 후 3년 2개월을 살았다. 사랑의 힘은 2년 2개월을 더 살게 한다고 나는 믿는다. 나중에 루이스는 이렇게 말했다.

"내 평생 진정한 사랑이 무엇인지 알고, 가장 행복했던 시절은 조이 데이비드맨과 산 3년 2개월이었다."

루이스는 《네 가지 사랑》이라는 책을 썼다. 진정한 사랑의 깊이를 깨달은 것이다.

아픔을 헤아리는 사랑

아픔을 모르면 잔인해진다. 잔인해지려면 느끼지 말아야 한다. 괴로운데 어떻게 잔인할 수 있겠는가? 어린 시절, 할머니 댁에 가면 할머니가 손수 닭을 잡아주셨다. 할머니는 마당에서 노니는 닭 중 한 마리를 잡아다가 두세 번 목을 비틀었다. 이때 닭이 눈을 좀 감아주면 좋은데, 나를 쳐다보고 윙크를 한다. 그러면 나는 너무 가슴이 아팠다. 드디어 할머니가 칼로 닭의 목을 내리친다. 한번은 목이 잘린 닭이 마당을 한참 동안 뛰어다니기도 했다. 그 광경은 내게 충격이었고 고통이었다. 그 후로 나는 닭을 잘 먹지 못한다.

히틀러가 600만 유태인을 학살할 수 있었던 이유는 무엇인가? 그들의 아픔을 느끼지 못했기 때문이다. 히틀러는 파티하면서 학살 명령만 내렸을 것이다. 아픔을 느꼈을 리 없다. 명령을 수행하는 사람 역시 자신은 책임이 없고 다만 명령에 복종하는 것이라고 생각했을 것이다. 아픔과 유리된 행동은 항상 잔혹함을 드러내게 되어 있다.

깡패가 무서운 이유가 무엇인가? 깨진 병으로 자기 몸을 그

어버리기 때문이다. 자기 자신의 귀중함과 아픔을 모른다. 자기의 아픔도 모르는 사람이 어떻게 남의 아픔을 알 수 있겠는가? 그러니까 남을 찌를 수 있는 것이다. 결국 살인자는 먼저 자신을 죽이고 남을 죽이는 셈이다. 자기를 죽이기 전에 절대로 남을 죽일 수 없다. 아픔을 아는 사람은 결코 남을 해치지 못한다.

아픔을 아는 사람이 사랑을 아는 사람이다. 자식을 낳으면 그 순간부터 부모의 아픔이 시작된다. 태어난 모습을 보니 불쌍하다. '이렇게 어린 자식 놔두고 일찍 죽으면 안 되는데…' 생각하니 가엾다. 어린 시절, 병이라도 크게 앓으면 아프다. 학교 다닐 때, 왕따라도 당하면 가슴이 찢어지게 아프다. 공부 좀 못해도 아프다. 그래서 부모의 가슴은 항상 아리다. 그래서 사랑이 되는 것이다.

그런데 이 모든 아픔이 기쁨으로 변화되는 것을 보게 된다. 아프다가 건강해지면 그보다 더 큰 기쁨이 없다. 왕따 당하다가 아이들에게 인정받고 반에서 반장이라도 되면 날아갈 듯 기쁘다. 어쩌다가 상이라도 받아오면 세상을 다 소유한 것 같은 기쁨을 느낀다. 아픔을 품어야 기쁨도 알게 되는 것이다. 아픔을 두려워하지 말라. 가슴이 갈기갈기 찢어지더라도 아픔을 품어라. 그것이 생명의 삶이다. 아픔을 품는 가슴, 십자가를 품는 가슴에서 새 생명은 잉태되고 자라나게 된다.

1. 사랑을 모르는 사람은 두려움 가운데 산다.

• • •　　세상은 사랑으로 살아가는 방법과 두려움으로 살아가는 방법이 있다. 사랑으로 살면 자유를 누린다. 자유를 누린다는 것은 다스린다는 말이다. 사랑의 능력이 있으면 다스린다. 하나님이 주신 인생을 누리며 살아가게 된다. 그러나 사랑이 없는 자는 정죄하며 살아간다. 정죄하는 마음의 정서에서는 자연히 두려움을 느낄 수밖에 없다. 사랑의 확신과 자신감이 있는 사람은 두려움이 아니라 자기에게 주어진 인생을 감사하며 기쁘게 산다.

2. 사랑을 모르는 사람은 자기 자신으로 살지 못하고 남으로 산다.

• • •　　사랑을 모르는 사람은 자기를 부정하며 남이 되려고 발버둥치며 산다. 사람이 사랑의 확신 없이 살아갈 때는 온갖 거짓과 가면을 뒤집어쓰고 살아간다. 학력, 계급, 돈, 권력을 동원하여 자신을 위장하기 위해 애쓴다. 그러나 분명히 알라. 자신을 받아들이기 힘들어도 자신을 받아들일 때 영광이 드러난다. 남이 아닌 자기 자신으로 살아가는 인생에게만 하나님의 형상으로 창조된 사람으로서의 영광이 임한다.

3. 사랑을 모르면 세상과 단절된 삶을 살아간다.

• • •   과거 야곱은 가면을 쓰고 없어도 있는 척, 약해도 강한 척하며 살아
갔다. 그러나 하나님의 사랑을 확신한 이후부터는 자신의 약점을 솔직히 토로하
는 사람이 되었다. 그가 하나님의 사랑을 확인하게 되자 그는 자신의 벽을 허물
고 세상을 살아갈 수 있게 되었다. 그리하여 애굽의 바로를 축복하기도 했다. 하
나님의 사랑을 회복하면 이렇게 축복을 유통하는 인생이 된다. 사랑을 모르면
벽에 갇힌 채 세상과 단절된다. 그러나 사랑을 알면 벽을 허물고 세상에 복을 전
한다.

외로운 마음이 들 때 **자신감**을 심어주는
하나님의 약속

이사야서 43:1
너는 두려워 말라 내가 너를 구속하였고
내가 너를 지명하여 불렀나니 너는 내 것이라

이사야서 49:16
내가 너를 내 손바닥에 새겼고 너의 성벽이 항상 내 앞에 있나니

로마서 8:28
우리가 알거니와 하나님을 사랑하는 자
곧 그 뜻대로 부르심을 입은 자들에게는 모든 것이 합력하여 선을 이루느니라

Confidence

쉽게 시작해버려라

믿음의 눈을 가지고 나아가는 일은 쉽게 시작할 수 있다.
믿음으로 감당하는 일은 자신 있게 해낼 수 있다.
믿음의 시각, 하나님의 시각으로 바라보면 어려움은 작게 보이고
가능성은 크게 보여서 일을 쉽게 시작할 수 있다.

· · · · · ·
쉽게 생각하면 쉽다

자신감을 가지고 남이 아닌 자기 자신으로 사는 첫 걸음은 쉽게 시작해버리는 것이다. 마귀는 항상 고민하고 주저하게 만든다. 왜? 시작하지 못하도록 방해하려고 하기 때문이다. 많은 열매를 맺는 사람에게는 특징이 있다. 그것은 일을 쉽게 시작한다는 점이다. 반면에 일을 못하는 사람에게도 특징이 있다. 그것은 늘 잔뜩 벼르기만 한다는 점이다.

공부를 잘하는 학생과 공부를 못하는 학생 사이에는 차이가 있다. 공부를 잘하는 학생은 공부의 시작이 쉽다. 그냥 앉아서 공부한다. 반면에 공부를 못하는 학생은 시작조차 어렵다. 책상에 앉아서 열심히 공부하기로 결심하고 각오를 다지는 데 만 2시간이 걸린다. 자신의 다짐을 부모님께 알린 다음 비장하게 결단의 커피를 마신다. 그리고 책상에 앉는다. 그렇지만 재미있는 드라마가 시작되면 슬그머니 거실로 나와 TV를 본다. 드라마가 끝나면 피곤하다. 내일을 기약하고 잠자리에 든다. 도무지 시작이 안 되는 것이다.

마귀의 특징은 시작을 못하게 막는다는 것이다. 그러나 우리는 마귀가 주는 생각을 버리고, 하나님이 주시는 생각을 붙들어야 한다. 마귀는 시작할 수 없게 만든다. 열등감, 실패에 대한 불안 때문에 시작부터 두렵게 만드는 것이 마귀의 소행이다.

그러나 바울은 그냥 시작하는 사람이었다. 1차 전도여행을 마친 바울은 탈진 상태에 빠졌다. 루스드라에서는 돌에 맞아 죽을 지경에 처하기도 했다. 시비 거는 사람들 때문에 피곤한 인생을 살았다. 이방인을 교회 안에 받아들이는 문제로 예루살렘 공의회의 논쟁까지 거쳤다. 그의 육체와 정신은 다 피폐해졌다. 그런데도 또 시작하는 것이다. 아주 쉽게 시작하는 것이었다.

"수일 후에 바울이 바나바더러 말하되 우리가 주의 말씀을 전한 각 성으로 다시 가서 형제들이 어떠한가 방문하자 하니" (행 15:36).

"수일 후에"라면 몇 날 정도를 말할까? 길어야 4,5일 정도다. 벼를 것도, 특별한 계기도 없다. 오히려 바울은 계기를 만드는 사람이다. 일상적으로 그냥 시작하는 사람이다. 체질적으로 기회를 만들어서 시작하는 사람이다. 쉽게 생각하면 시작이 쉽다. 쉬운 것을 어렵게 생각하지 말라.

삼일교회 교인들이라면 이미 뇌리에 박혔을 정도로 되풀이한 예화가 있다.

정서가 불안한 어떤 사람이 자리에 앉기만 하면 종이를 찢었다. 자기도 괴로운 나머지 여러 병원의 신경정신과를 전전했다. 어떤 병원에서는 과거의 상처를 중심으로 그 문제에 접근했다.

"혹시 어렸을 때, 종이 뭉치에 맞은 적 있습니까?"

"없습니다."

다른 병원에서는 환경적으로 접근했다.

"혹시 어린 시절 살던 동네에 종이 공장이 있었습니까?"

"없었습니다."

여러 병원을 찾아다녔지만 특별한 방도가 없는 것 같았다. 마지막으로 그가 다시 한 정신병원을 찾았다.

"무슨 일 때문에 오셨습니까?"

"저는 정서가 불안해서 앉기만 하면 종이를 찢습니다."

그러자 의사가 말했다.

"종이 찢지 마!"

그리고 그도 종이를 찢지 않았다고 한다. 아무것도 아닌 단순한 일을 복잡하게 생각하니까 어려워지는 것이다. 그냥 종이를 찢지 않으면 될 일이다. 쉬운 일을 어렵게 만들어서 혼란스럽게 하는 것이 마귀의 장난이다. 쉽게 시작하면 쉽다.

쉽게 시작할 수 있는 힘

쉽게 시작하는 사람에게는 쉽게 시작할 수 있는 힘이 있다. 그러면 그 힘이 무엇인가?

첫째, 믿음이 있으면 쉽게 시작할 수 있다

우리가 쉽게 시작하지 못하는 이유가 무엇인가? 자신의 판단이 옳은지 그른지에 대한 확신이 없기 때문이다. 그릇된 판단으로 행동했다가 실패하면 그 타격은 매우 크다. 그러나 하나님을 믿고, 하나님의 말씀을 믿는 사람이라면, 하나님의 말씀이 100퍼센트 확실한 진리임을 확신한다. 명백히 알고 추진하는 일에 주저할 이유는 없다. 말씀이 지시하는 명백한 진리는 우리가 머뭇거릴 만한 어떤 여지도 주지 않는다.

예배는 하나님의 뜻이다. 아버지께서는 지금도 자기에게 예배하는 자를 찾으신다고 한다. 따라서 예배 중심의 삶을 사는 일에 대해서 주저할 이유는 전혀 없다. 그냥 당장 시작하면 된다. 선교는 하나님의 명백한 뜻이다. 따라서 복음을 증거하는 선교사역 역시 주저할 일이 못 된다. 그냥 시작하면 되는 것이다. 기도는 하나님의 뜻이다. 하나님은 "내 집은 만민의 기도하는 집"이라고 하셨다. 그러므로 기도하는 일도 주저해서는 안 된다. 모든 기회와 상황을 동원하여 기도하는 일에 집중해야 한다.

하나님의 명백하신 뜻을 중심으로 일해도 다하지 못할 정도로 우리에게 맡겨진 사역은 많다.

믿음의 눈으로 보는 사람

믿음의 눈으로 해나가는 일은 더 쉽게 시작할 수 있다. 믿음으로 감당하는 일은 자신 있게 해낼 수 있다. 어떤 사람들은 눈에 보이는 것만 믿는다고 말한다. 특히 영미(英美) 계통의 경험주의적 전통을 가진 사람들은 보고 들은 것만 믿는다고 말한다. 그러나 우리가 듣고 본다는 것이 얼마나 취약한 기반인지 안다면 그렇게 말할 수 없을 것이다.

이 세상에 존재하는 빛의 95퍼센트는 보이지 않는다. 인간의 눈으로 볼 수 있는 빛이 5퍼센트 정도밖에 되지 않는다는 말이다. 그것을 가시광선이라고 부르는데 나처럼 시력이 나쁜 사람은 그 5퍼센트도 제대로 다 보지 못한다.

분명히 존재하지만 보이지 않는 빛이 있다. 일단 적외선을 예로 들어보자. 적외선은 우리 눈에 보이지 않는다. 그러나 적외선 안경을 쓰고 보면 밤에도 사람들의 움직임을 알아볼 수 있다. 미국의 고속도로 순찰대가 도망치는 용의자를 적외선 카메라를 따라 추적하는 것을 보았는데, 칠흑 같은 어둠 속에서도 용의자의 움직임이 그대로 카메라에 잡혔다. 존재하지만 보이지 않는 적외선이라는 광선이 있음을 명확히 확인할 수 있는 장면이었다.

또 자외선이라는 광선이 있다. 여성들이 여름에도 두껍게 선블록(sun-block)을 바르고 다니는 이유가 무엇인가? 한강에서 걷기 운동을 하는 아주머니들이 얼굴에 복면을 하거나 선캡(sun-cap)을 쓰는 이유가 무엇인가? 자외선이 두렵기 때문이다. 얼굴이 타고 잡티가 생기는 등 피부 노화의 주범으로 불리는 자외선을 막기 위해서다. 오히려 흐린 날 자외선이 더 강하다는 설도 있다. 눈에 보이지 않아도 자외선이 있다는 것은 이제 누구나 다 아는 상식이 되었다.

세상에 존재하는 물질의 95퍼센트가 암흑물질이라고 한다. 존재하는데 보이지 않는다. 단순히 보이는 것만 인정한다면 세상의 95퍼센트를 부정하며 사는 것이 된다. 전파도 보이지 않는다. 그러나 존재한다. 전기도 보이지 않는다. 그렇지만 물 묻은 손으로 콘센트를 만지면 감전 사고를 당하기 십상이다. 보이지 않아도 분명히 존재하는 것이다.

"우리가 믿음으로 행하고 보는 것으로 하지 아니함이로라" (고후 5:7).

우리는 보이는 것으로 살아가지 않고 믿음으로 살아가는 사람들이다. 성도의 삶의 방식은 믿음으로 살아가는 것이다. 보는 것이 아니다. We live by faith, not by sight.

우리의 귀가 모든 소리를 다 들을 수 있는 것은 아니다. 인간이 들을 수 있는 소리는 한정되어 있다. 그것을 '가청권'이라고 한다. 인간은 진동수 16에서 2만 헤르츠(Hz)까지 들을 수 있다고 한다. 너무 작은 소리도 못 듣고, 너무 큰 소리도 듣지 못한다. 인간은 지구가 자전하는 소리를 들을 수 없다. 만일 그 소리가 들린다면, 전혀 안식하지 못하고 노이로제에 걸리고 말 것이다.

개는 진동수 3만 8천 헤르츠까지 들을 수 있다. 그래서 사람이 듣지 못하는 소리를 개는 듣는다. 결혼하기 전에 집에서 개를 길렀다. 결혼하고 첫 딸을 낳은 다음 아이에게 개털이 문제가 되는 개 알레르기가 있다고 해서 그 후 개를 기를 수 없었는데, 다른 사람에게 줄 때까지 정말 사랑하며 키운 개가 있었다. 개 이름은 '뽀삐'였다. 이 개가 나를 무척 따랐다. 어머니 말씀에 따르면 내가 집안으로 들어오기 5분 전부터 뽀삐가 뛰어다니며 텀블링을 하고 난리를 부린다는 것이다. 처음에는 왜 그런지 이해하지 못했다고 한다. 그런데 개가 그런 행동을 보일 때마다 어김없이 5분이 지나면 내가 집안으로 들어온다는 것이다.

무슨 말인가? 인간은 듣지 못하는 소리를 개는 듣는다. 인간이 들을 수 있는 소리 범위의 2배, 그것도 더 빨리 듣는다. 그래서 동물들의 움직임을 주의 깊게 살피면 지진을 대비할 수 있다고 하지 않는가? 왜 그런가? 그것은 인간이 들을 수 없고 느낄 수 없는 땅 속 진동음 또는 전류의 변화를 동물들은 미리 감지할 수 있는 능력이 있기 때문이다. 감각으로 따지면 인간은 결코 동물을 능가할 수 없다. 박쥐는 9만 8천 헤르츠까지 듣고, 돌고래는 20만 헤르츠까지 들을 수 있다니 인간보다 10배나 더 들을 수 있다는 말이다. 오직 듣는 것, 보는 것에만 의

존한다면 인간은 개에게 무릎을 꿇어야 할 것이다.

그러나 인간은 이 땅의 모든 짐승보다 더 많은 것을 보고 더 많은 것을 듣는다. 왜냐하면 믿음의 눈으로 보기 때문이다. 하나님의 시각으로 세상을 보기 때문이다. 대가(大家)의 특징은 보는 눈이 다르다는 것이다. 믿음의 눈으로 보는 사람이 진정한 대가이다.

하나님의 시각으로 보아야 볼 수 있는 가치

1994년 노벨 문학상을 받은 오에 겐자부로라는 일본 작가가 있다. 그는 일본의 고이즈미 전 총리가 신사참배를 할 때 이를 신랄하게 비판한 일본의 양심적 지식인이다. 일제 강점기에 대한 일말의 반성도 없이 한국민의 아픔을 모르고 무례히 행동하는 사람이라면서 고이즈미 총리를 비난했다. 오에 겐자부로는 1935년생으로 고희(古稀)를 넘긴 현역 작가이다. 겐자부로는 인간 심성의 깊은 아픔을 누구보다 잘 파악하여 묘사하는 작가로 알려져 있다. 그가 인간의 마음속 깊은 곳까지 들여다볼 수 있는 눈이 열리게 된 것은 다름 아닌 그의 뇌성마비

아들 때문이다.

그가 작가로 등단한 지 5년 쯤 되었을 때 낳은 아들이 뇌성마비였다. 장애를 가진 아들을 키운다는 것은 너무 무거운 짐이요 괴로움이었다. 돌봐주지 않으면 아무것도 할 수 없는 그 아이를 가리켜 사람들은 그의 인생의 짐이라고 말했다. 그러나 갠자부로는 이렇게 고백한다.

"만약 나에게 끊임없이 돌봐야 하는 이 아이가 없었다면, 나는 지금의 이런 작가는 되지 못했을 것이다. 나는 이 아이를 돌보면서 인간 심성의 깊은 아픔이 무엇인지 이해하고 볼 수 있게 되었다."

갠자부로의 아픔이었던 그의 아들이 실은 그의 안목을 깊게 만드는 축복이 되었다는 말이다. 헨리 나우웬의 표현을 빌리자면, 그는 '상처 입은 치유자'(the wounded healer)가 된 셈이다. 짧은 생각으로 축복이니 저주니 함부로 말하지 말라. 믿음의 시각, 하나님의 시각으로 바라보면 이전에 볼 수 없었던 수많은 가치를 볼 수 있게 된다.

둘째, 쉽게 시작하려면 에너지가 있어야 한다

몰라서 못하는 것이 아니다. 알아도 할 수 있는 힘이 없으면 못한다. 시작을 못하는 이유 중에 하나는 에너지가 없기 때문이다. 하나님이 공급하시는 에너지가 충만하면 쉽게 시작할 수 있다.

"사람이 너희를 회당과 정사 잡은 이와 권세 있는 이 앞에 끌고 가거든 어떻게 무엇으로 대답하며 무엇으로 말할 것을 염려치 말라 마땅히 할 말을 성령이 곧 그 때에 너희에게 가르치시리라 하시니라"(눅 12:11,12).

영적 에너지가 충만하면 어떤 상황에서도 올바르게 대처할 수 있다는 말이다.

항상 나의 영적 에너지 상태를 점검해야 한다. 기도, 말씀, 찬양 무엇이 되었든 자신의 에너지를 충만한 상태로 유지하는 것이 중요하다.

세계적인 독일의 무용가 수잔 링케가 세계무용축제 참가 차 우리나라에 온 적이 있다. 선입견인지 몰라도 독일인이라고 하면 철학이나 군대 생각이 나지, 무용과는 거리가 멀다고 느껴진다. 수잔 링케도 스스로 이렇게 말했다.

"독일인은 생각이 너무 많아서 춤추는 데는 적당하지 않은 민족이다."

그러면서 덧붙인 말이 내게 매우 인상적이었다. 무용수에게 필요한 것은 '완벽한 포즈'가 아니라 '에너지'라는 것이다. 맨 처음 기초를 닦을 때를 말하는 것이 아니다. 경지에 들어선 무용은 손짓, 발짓의 완벽한 포즈가 아니라 그 속에서 터져 나오는 에너지의 흐름이라고 한다.

멀리서 수잔 링케의 무용을 보면서, 저것은 무용이 아니라 에너지 덩어리의 움직임이라는 느낌을 받았다. 거기에는 마그마처럼 용솟음치는 에너지가 있었다. 그 에너지가 터져 나와 저절로 팔이 올라가고, 다리가 올라가는 느낌을 받았다. 그것은 분명히 에너지의 분출이었다.

세계적인 지휘자 정명훈 씨의 피아노 연주를 본 적이 있다. 그는 본래 피아노 연주자였다. 진지하게 앉아 피아노를 연주하기 시작했을 때 느낀 것도 일종의 에너지의 흐름이었다. 피아노를 연주하면서 정명훈 씨가 몸을 굽힐 때, 나도 몸을 굽혔다. 정명훈 씨가 고개를 쳐들 때, 나도 고개를 쳐들었다. 왜 그런가? 그렇게 하지 않으면 견딜 수 없을 것 같은 강한 에너지가 느껴졌기 때문이다. 대가는 단순히 연주만 하는 것이 아니다. 에너지를 분출한다.

연주할 때 특히 몸을 많이 쓰기로 유명한 악기가 바이올린이다. 정명훈 씨의 누나 정경화 씨가 바이올린을 연주할 때에도 나는 연주자를 따라서 몸을 움직였다. 나뿐만이 아니었다. 주위 사람들도 연주자와 혼연일체가 된 듯 분출되는 그 에너지를 따라서 움직였다.

생명을 분출하는 동력

나는 설교도 이와 같다고 생각한다. 성령의 기름부음으로 준비된 말씀 그리고 강력한 기도가 있는 설교가 준비되었을 때, 나는 그 속에서 생명이 분출되는 느낌을 받는다. 예레미야 선지자의 고백과 같이 전하지 않으면 화를 당할 것 같은 느낌이 전해진다.

"내가 다시는 여호와를 선포하지 아니하며 그 이름으로 말하지 아니하리라 하면 나의 중심이 불붙는 것 같아서 골수에 사무치니 답답하여 견딜 수 없나이다"(렘 20:9).

이때의 설교는 설교가 아니다. 에너지의 분출이다. 모든 사람이 그 강력한 힘을 느낄 수 있다.

왜 시기, 질투, 미움, 원망, 두려움이 나쁜가? 이런 것들은 우리의 에너지를 빼앗는다. 우리의 에너지 상태를 낮춰서 아무 열매도 맺지 못하게 만들기 때문이다.

사울 왕을 보라. 그는 왕이었다. 왕은 평범하게 왕의 직무만 잘 감당해도 보통사람 수천 명이 모여야 할 수 있는 일을 성취할 수 있는 영향력 있는 사람이다. 그런데 여인들이 춤추면서 노래한, 그 당시 빌보드 차트 1위인 "사울은 천천, 다윗은 만만"이라는 노래 소리에 그는 분노했다. 시기심이 사울의 전 영혼을 장악했다. 결국 이 시기심이 사울을 미치게 만들었다. 미쳤다는 말은 무슨 뜻인가? 에너지 상태가 제로가 되었다는 말이다. 시기심이 그의 모든 가능성과 잠재력을 빼앗아갔다.

이스라엘 백성을 보라. 이스라엘 백성들은 광야에서 원망하는 인생을 살았다. 그들은 감사함을 몰랐다. 에너지 상태 제로

가 되어버린 것이다. 결국 여호수아와 갈렙을 제외한 모든 백성이 광야에서 다 죽었다.

그렇다. 우리는 에너지 상태를 높이기 위해 발버둥쳐야 한다.

셋째, 날마다 열정 에너지를 점화해야 한다

기도하라. 그래야 심지를 태우지 않고 기름을 태우는 인생을 산다.

"볼지어다 내가 내 아버지의 약속하신 것을 너희에게 보내리니 너희는 위로부터 능력을 입을 때까지 이 성에 유하라 하시니라"(눅 24:49).

찬양하라. 바울과 실라가 빌립보 감옥에서 기도하고 찬송하자 옥문이 열리는 기적을 맛보았던 것을 기억하라. 그때가 바로 에너지 상태가 최고조에 이른 시점이다.

"밤중쯤 되어 바울과 실라가 기도하고 하나님을 찬미하매 죄수들이 듣더라 이에 홀연히 큰 지진이 나서 옥터가 움직이고 문이 곧 다 열리며 모든 사람의 매인 것이 다 벗어진지라"(행 16:25,26).

믿음의 성도와 함께 교제하라. 성령 안에서 믿음의 성도와 나누는 교제는 잿더미 같던 마음을 불붙는 마음으로 변화시킨다. 열정은 전염되기 때문이다.

"저희가 사도의 가르침을 받아 서로 교제하며 떡을 떼며 기도하기를 전혀 힘쓰니라"(행 2:42).

영적 거머리를 경계하라

존 맥아더 목사가 시무하는 그레이스 커뮤니티교회에서 성탄절에 큰 음악회를 열었다. 음악회가 끝나고 성도들과 인사를 나누던 존 맥아더 목사가 잘 모르는 신사와 마주쳤다.

"언제부터 이 교회를 다니셨습니까?"

"1년쯤 되었습니다."

복음주의자인 존 맥아더 목사는 그의 영적 상태가 궁금해졌다. 그래서 이렇게 질문했다.

"당신은 거듭난 그리스도인이십니까?"

조금 머뭇거리던 그 신사가 말했다.

"사실 저는 크리스천이 아니라 유태인입니다. 저는 세일즈

업에 종사하고 있습니다. 세일즈맨에게 필수적인 것이 열정입니다. 목사님의 설교를 들으면 열정이 생깁니다. 그래서 1년 전부터 예배를 드리고 있지요. 여기서 예배를 드리면 열정이 솟아납니다."

믿음으로부터 나오는 낙관적인 열정은 에너지, 흥분, 희망을 준다. 유능하면서 비관적일 수는 없다. 나는 냉소적이고 침울한 리더는 본 적이 없다. 다른 사람의 열정을 빨아먹는 영적 거머리를 경계하라. 하나님과 교제하여 넘치는 에너지의 사람이 돼라. 믿음의 사람은 쉽게 시작할 수 있다. 그뿐만 아니라 큰 불을 일으키는 불씨가 될 것이다.

1. 믿음이 있으면 쉽게 시작할 수 있다.

• • • 하나님의 말씀을 믿는 사람이라면, 하나님의 말씀이 100퍼센트 확실한 진리임을 확신한다. 명백히 알고 추진하는 일에 주저할 이유가 없다. 말씀이 지시하는 명백한 진리는 우리에게 머뭇거릴 여유도 주지 않는다. 믿음의 눈을 가지고 나아가는 일은 쉽게 시작할 수 있다. 믿음으로 감당하는 일은 자신 있게 해낼 수 있다. 믿음의 시각, 하나님의 시각으로 바라보면 어려움은 작게 보이고 가능성은 크게 보여서 일을 쉽게 시작할 수 있다.

2. 쉽게 시작하려면 에너지가 있어야 한다.

• • • 몰라서 못하는 것이 아니다. 알아도 할 수 있는 힘이 없으면 못한다. 시작을 못하는 이유 중 하나는 에너지가 없기 때문이다. 하나님이 공급하시는 에너지가 충만하면 쉽게 시작할 수 있다. 영적 에너지가 충만하면 어떤 상황에서도 올바로 대처할 수 있다. 따라서 항상 나의 에너지 상태를 점검해야 한다. 말씀, 찬양, 기도 등 무엇이 되었든 자신의 영적 에너지를 충만한 상태로 유지하는 것이 중요하다.

3. 영적 에너지는 계속 불타올라야 한다.

• • •   기도하라. 그래야 심지를 태우지 않고 기름을 태우는 인생을 산다.
찬양하라. 그래야 우리 앞에 막힌 문이 열리는 기적이 일어난다. 믿음의 성도와
함께 교제하라. 성령 안에서 믿음의 성도와 나누는 교제는 잿더미 같던 마음을
불붙는 마음으로 변화시킨다. 열정은 전염되기 때문이다. 믿음으로부터 나오는
낙관적인 열정은 에너지, 흥분, 희망을 준다.

두려운 마음이 들 때 **자신감**을 심어주는
하나님의 약속

신명기 32:10
여호와께서 그를 황무지에서, 짐승의 부르짖는 광야에서 만나시고 호위하시며
보호하시며 자기 눈동자같이 지키셨도다

여호수아서 1:9
내가 네게 명한 것이 아니냐 마음을 상하게 하고 담대히 하라
두려워 말며 놀라지 말라 네가 어디로 가든지
네 하나님 여호와가 너와 함께하느니라 하시니라

시편 91:1-3
지존자의 은밀한 곳에 거하는 자는 전능하신 자의 그늘 아래 거하리로다
내가 여호와를 가리켜 말하기를 저는 나의 피난처요 나의 요새요 나의 의뢰하는 하나님이라 하리니
이는 저가 너를 새 사냥꾼의 올무에서와 극한 염병에서 건지실 것임이로다

Confidence

좋은 것이 머무르게 하라

좋은 것이 머무르는 신사가 되기 위해서는 시선의 변화가 있어야 한다.
좋은 것을 바라보는 사람이 신사이다. 보는 것의 차이가 신사를 만들어낸다.
영광스러운 미래를 원하는가? 영광스러운 것을 바라보라.

• • • • • •
현재 누리는 좋은 것

사람들은 현실에 만족하지 못한다. 그래서 항상 새로운 것을 추구한다. 사실은 자신이 이미 가진 것이 좋은 것인데, 그것을 알지 못한다. 새로운 것이 모두 좋은 것은 아니다. 좋은 것이 좋은 것이다. 지혜로운 인생은 새로운 것만 추구하는 인생이 아니라 좋은 것을 머무르게 만드는 인생이다.

나는 지금 나의 가정이 좋다. 새 가정이 좋은 것이 아니다. 나는 지금의 교회가 좋다. 새 교회가 좋은 것이 아니다. 나는 지금의 내 팔이 좋다. 새 팔이 좋은 것이 아니다. 사람들은 대부분 좋은 것을 잃어버리고 나서 과거에 지니고 있던 것이 좋은 것이었음을 자각한다. 종종 욕심을 부려서 끊임없이 새로운 것을 추구하는 사람을 보게 된다. 이미 나이를 많이 먹었는데도 유학을 떠나려고 하는 사람도 있다. 좋은 직장을 버리고 새로운 시도를 해보겠다고 몸부림치는 사람도 있다. 그럴 때 나는 이렇게 말한다.

"새롭게 얻는 것만 생각하지 말고, 그 시도로 지금 누리고 있는 좋은 것을 잃게 된다는 것도 생각하라."

좋은 것을 귀하게 여기는 마음이 복된 마음이다.

아름다운 교제

바울은 2차 전도여행을 하면서 피로가 누적되어 있었다. 그가 데살로니가에서 말씀을 증거했을 때, 비록 짧은 시간이었지만 큰 부흥이 일어났다. 그러나 그 지역의 깡패들이 나타나 바울과 그의 일행을 죽이려고 하는 바람에 간신히 도망쳐서 실라와 함께 베뢰아로 갔다.

그의 심신은 이미 무척 지친 상태였다. 하나님은 하나님의 자녀들에게 사역만 강요하시는 분이 아니다. 적절한 쉼과 위로를 주시는 분이다. 지쳐 있는 바울에게 주신 하나님의 축복은 바로 베뢰아 사람들이었다. 왜 그런가? 베뢰아 사람들은 좋은 사람들이었기 때문이다.

좋은 사람을 만나면 회복된다. 좋은 사람은 마치 좋은 공기와 같다. 좋은 공기를 마시면 육체에 새 힘을 얻는 것처럼 좋은 사람을 만나면 영혼도 새 힘을 얻는다. 원망하는 사람, 비판하는 사람들과 가까이하지 말라. 정신 건강에 좋지 않다. 그 사람과 단 10분 이야기했을 뿐인데 내 몸에 있는 힘을 쭉쭉 뽑아가는 사람이 있다. 부정적인 사람이기 때문이다. 반면에 믿음이 있고 격려할 줄 아는 사람과 만나면 없던 힘도 생기는 경험을 하게 된다.

어떤 모임에서 훌륭한 여러 선배 목사님들과 함께 여행을 간 적이 있다. 귀한 조언도 듣고 서로 격려하며 함께 보낸 4일이라는 시간은 내게 충분한 휴식과 충전이 되었다. 모임 마지막 날 한 목사님이 말했다. 평소에도 평범한 일상 속에서 귀중한 통찰을 얻는 분이셨다.

"열등감 없는 사람들과 함께 있으니 너무 좋다. 깊은 영적 휴식을 누릴 수 있었다."

나는 정말 기가 막힌 표현이라고 생각했다. 생각해보면 상당히 공감이 되는 말이다. 열등감이 없는 사람이야 없겠지만 지나치게 깊은 열등감에 사로잡힌 사람과 교제한다는 것은 매우 힘든 일이다. 무슨 말을 하면 꼭 자신과 연관시키고 너무나 예민하게 반응한다. 그러면 편안한 마음으로 교제를 나누기 어렵다. 대화를 나누다보면 "무식하게 그런 것도 모르냐?"라는 농담 섞인 핀잔의 말을 들을 수도 있다. 그런데 무식하지 않은 사람은 그 말을 그냥 농담으로 넘긴다. 그러나 열등감이 있는 사람은 외친다.

"그래. 나 무식하다! 어디 무식한 놈 주먹 맛 좀 볼래?"

친구가 하고 있는 목걸이를 유심히 들여다보던 사람이 장난으로 "그 목걸이, 가짜지?"라고 말했다면 어떤가? 별다른 열등감이 없는 사람이라면 그냥 웃으면서 "맞아. 길에서 3천 원 주고 샀어"라고 말하고 말 것이다. 그런데 열등감에 사로잡힌 사람은 엉엉 울면서 달려든다.

"그래. 가짜다. 없이 산다고 깔보는 거냐? 너까지 내 속을 뒤집어놓는구나."

예수님도 많은 사역으로 심신이 피곤하실 때가 있었다. 그럴 때 예수님은 베다니에 있는 나사로의 집에서 쉬셨다. 질투, 시기, 모함에 시달릴 때마다 마리아와 마르다의 집을 찾으셨다. 거기에 쉼이 있었기 때문이다. 사랑은 열등감을 이긴다. 자식에게 열등감을 느끼는 부모는 없다. 사랑에는 열등감이 작용하지 않는다. 건강한 영혼의 상태를 유지하기 위해서는 이런 만남을 많이 갖는 것이 좋다. 육체에 맑은 공기가 필요하듯이, 영혼에는 맑은 정신의 소유자와 나누는 아름다운 교제가 필요하다.

고상한 그리스도인

베뢰아 사람은 좋은 사람들이었다. 바울과 그의 일행은 그들을 만나서 회복되었다. 나는 그리스도인들이라면 모두 베뢰아 사람과 같이 좋은 사람이 되어야 한다고 생각한다. 성경은 베뢰아 사람을 이렇게 묘사한다.

"베뢰아 사람은 데살로니가에 있는 사람보다 더 신사적이

어서 간절한 마음으로 말씀을 받고 이것이 그러한가 하여 날마다 성경을 상고하므로"(행 17:11).

베뢰아 사람의 특징은 한마디로 '신사적'이라는 것이다. 영어성경에는 "더 신사적이어서"라는 구절을 "더 고상한 성품(more noble character)을 지녔다"라고 풀어서 표현했다. 그러면 '신사적'이란 말은 무슨 뜻인가? 검은 색 정장 양복을 입고 다닌다거나 말끔한 숙녀복을 입고 얌전히 처신한다는 의미인가? 칼빈 주석을 찾아보니 거기에 나온 설명은 이러했다.

"신사적이란 말은 정신에 관한 것이 아니다. 외형에 관한 것이 아니다. 이것은 혈통에 관한 것이다. 태어날 때부터 타고나는 것이다."

여기까지 읽었을 때 나는 조금 낙심이 되었다. 신사적인 사람이 있고, 비신사적인 사람이 따로 있다는 말인가? 혈통이 나쁘면 결코 신사다운 행동을 할 수 없다는 말인가?

그러나 이 말은 그런 의미가 아니다. '신사적'이란 원래 그들 속에 있는 좋은 것을 의미한다. 인간은 죄 때문에 타락했다. 그래서 많은 부분이 깨졌다. 그러나 상하고 깨어졌다고는 하나 여전히 하나님의 형상으로서 영광스러운 면모가 남아 있다. 깨지지 않은 하나님의 형상이 있다는 말이다. 그래서 인간만큼 모순적인 존재가 없다. 좋을 때는 마치 하나님의 천사를 방불케 할 정도로 고결한 인간성이 드러난다. 그러나 나쁠 때는 저것을 인간이라고 할 수 있을까 싶을 정도의 잔혹함과 죄악으로 가득 찬 모습을 보인다. 인간에게 영광과 죄악이 동시에 공존한다는 말이다.

바울은 로마서 7장에서 이렇게 고백한다.

"나의 행하는 것을 내가 알지 못하노니 곧 원하는 이것은 행하지 아니하고 도리어 미워하는 그것을 함이라… 그러므로 내가 한 법을 깨달았노니 곧 선을 행하기 원하는 나에게 악이 함께 있는 것이로다… 오호라 나는 곤고한 사람이로다 이 사망의 몸에서 누가 나를 건져내랴"(롬 7:15,21,24).

나는 이 갈등이야말로 인간의 모습을 정확히 표현했다고 생각한다. 인간에게는 100퍼센트 선한 사람도, 100퍼센트 악한 사람도 존재하지 않는다. 두 가지 요소가 섞여 있다.

많은 사람들로부터 존경을 받는 어떤 분을 알고 있다. 나 역시 그 분의 신들메 풀기도 감당하지 못하겠다고 말할 만큼 정말 훌륭한 분이시다. 그런데 일주일 정도 그 분과 가까이 지내다보니, 그 분에게도 약점이 있었다. 식사를 하고 난 다음 밥 값을 내는 적이 한 번도 없다는 것이다. 한두 번이 아니라 매번 그랬다. 조용히 신발 끈을 묶거나 화장실에 가거나 꼭 전화 통화를 하는 모습이 목격되었다. 다른 사람들에게 물어봐도 역시 마찬가지의 대답을 들을 수 있었다. 히브리어로 '인색하다' 는 말은 "비참하다"라는 뜻이라고 한다. 그 분의 지나친 인색함에서 비참함이 느껴졌다.

반대로 아주 불한당 같은 악인이 있다고 하자. 불량배로 인생을 전전한 사람이다. 그러나 그 속에서 그 나름의 의리와 희생의 면면이 보인다면 그를 100퍼센트 악하기만 하다고 말할 수 없는 것이다. 이것이 인간의 삶이다.

신사다운 그리스도인 되기

그럼 다시 신사적이란 말이 무슨 뜻인가? 그것은 무엇이 앞서 나오는가의 문제이다. 좋은 것이 앞서 나오면 그 사람은 신사적이고, 나쁜 것이 먼저 나오면 그 사람은 신사적이지 않다고 말할 수 있다. 누구에게나 신사적인 요소가 있다. 무엇을 내보이는가가 중요하다. 그래서 성경은 비교급을 쓰고 있다.

"베뢰아 사람은 데살로니가에 있는 사람보다 '더 신사적'이어서"(행 17:11).

'더 신사적'이라는 표현으로 "more noble character"라고 한 것이다. 이 말은 데살로니가 사람들에게도 신사적인 요소가 있다는 말이다. 그런데 베뢰아 사람들이 그들보다 조금 더 신사적이라는 것이다. 자꾸 좋은 것이 나오는 사람이 신사이다. 좋은 것을 머무르게 하는 사람이 신사적인 사람이라는 말이다. 모든 그리스도인은 신사가 되어야 한다.

그러면 좋은 것이 머무르게 하는 신사가 되기 위해서는 어떤 변화가 있어야 하는가?

첫째, 시선의 변화가 있어야 한다

좋은 것이 머물도록 하려면 우선 시선의 문제를 고려해야 한다. 좋은 것을 바라보는 사람이 신사이다. 좋은 것을 바라보

라. 보는 것의 차이가 신사를 만들어낸다. 평소 화를 잘 내는 사람을 알고 있다. 나는 그 사람이 인내심이 부족해서 화를 잘 낸다고 생각했다. 그런데 그 사람이 화를 낼 때 하는 말이 무엇인지 아는가?

"내가 얼마나 참았는지 알아?"

이 말을 하고 화를 낸다. 그 사람도 나름대로 열심히 참았다는 것이다. 화를 내느냐, 안 내느냐의 문제는 단순히 인내심이 충분한가, 부족한가의 문제로만 파악할 것이 아니라는 말이다. 그러면 화를 잘 내는 사람은 왜 화를 자주 내는가? 바로 시선의 문제 때문이다. 화를 잘 내는 사람은 항상 열 받는 것을 쳐다본다. 신문을 봐도 좋은 기사는 그냥 넘기고, 열 받을 만한 기사만 읽고 또 읽고 스크랩까지 한다. 다른 사람을 만나면 그 기사를 유포하고, 혼자 있을 때 또 묵상한다. 그러는데 어떻게 화를 참을 수 있겠는가? 시선을 고치지 않는 한 좋은 것은 결코 그 사람 안에 머물지 않는다.

무엇을 보았는가?

안디옥교회의 부흥이 소문이 나자 이 소식을 들은 예루살렘 교회에서 전후 사정을 알아보려고 안디옥교회에 바나바를 파송한다. 안디옥교회는 신생 교회였다. 더욱이 다양한 인종이 섞여 있는 교회였다. 얼마나 문제가 많았겠는가? 예루살렘교회에는 같은 민족이면서 자라온 배경이 다른 헬라파 유대인과 히브리파 유대인 사이에 알력이 심했다. 하물며 다양한 인종으로 구성된 안디옥교회에서는 이보다 더 심각한 갈등이 있었을 것이다. 예루살렘교회는 성숙한 교회였다. 반면에 안디옥교회는 아직도 많은 부분에서 미숙한 교회였다. 약점을 찾으려고 들면 얼마든지 약점을 찾을 수 있는 상황이었다. 그런데 안디옥교회에 도착한 바나바가 목도한 것은 바로 하나님의 은혜였다.

"예루살렘 교회가 이 사람들의 소문을 듣고 바나바를 안디옥까지 보내니 저가 이르러 '하나님의 은혜'를 보고 기뻐하여"(행 11:22,23).

바나바는 '하나님의 은혜'를 보았고 또 기뻐했다. 바나바는 좋은 것을 보았다. 바나바는 신사적인 사람이었다. 오늘날 많은 사람이 교회에서 실망하는 이유가 무엇인가? 하나님의 은혜는 보지 않고 사람들만 보기 때문이다.

어떤 아버지와 아들이 있었다. 그런데 아들이 공부를 너무 못했다. 성적표를 받아왔는데 전 과목이 '가' 에 한 과목만 '양' 이었다. 수우미양가로 채점하던 시절이니 제법 오래된 이야기이다. 보통 아버지 같으면 이렇게 소리쳤을 것이다.

"이걸 성적이라고 받아왔니? 이 돌대가리 같은 놈아!"

그런데 이 아버지는 매우 신사적인 눈을 가지고 있었던 모양이다.

"너무 한 과목만 집중해서 공부하지 말거라."

아버지는 낙제인 '가' 를 본 것이 아니라 적게나마 가능성 있는 '양' 을 본 것이다. 나는 좋은 것을 보는 눈을 가진 아버지의 아들이 심기일전하여 공부했으리라고 확신한다. 보는 시선이 좋아야 한다.

어머니의 예수님

옛날에는 남자들이 그리 오래 살지 못했다. 한 여성이 20대 초반에 결혼을 했다. 그런데 그녀의 나이 23세에 그만 남편이 죽고 말았다. 그 당시 임신 중이었던 여인은 유복자로 딸을 낳았다. 요즘 같으면 금세 재혼해서 인생을 새롭게 시작했겠지만, 40년 전만 해도 사정은 그렇지 않았다. 청상과부가 된 여인은 혼자 모든 희생을 감수하며 딸의 장래를 위해 헌신했다. 시장에서 온갖 장사를 해가며 딸을 길렀다. 그 어머니의 희생 덕분에 딸은 대학을 나오고 유학까지 다녀오게 되었다. 마침내 어느 대학의 교수로 임용되기에 이르렀다.

그런데 이런 가정의 분위기를 상상해볼 수 있는가? 어머니는 많이 배우지 못했다. 그리고 치열한 삶의 현장에서 살아남기 위해 억척스럽게 일하며 딸을 키워냈다. 그러다 보니 많이 배운 딸과 말이 잘 통할 리 없었다. 딸은 어려운 일이 있거나 짜증스러운 일이 생기면 모든 것을 어머니에게 다 쏟아냈다. 그럴 때마다 어머니는 말없이 딸의 이런 투정을 모두 받아주었다. 희생과 침묵 그리고 인고(忍苦)의 세월을 산 어머니의 모습이었다. 딸도 나이를 먹고 가정을 이루고 40세를 훌쩍 넘겼다. 이제는 어느 정도 안정적인 생활을 하게 되었다.

어느 날 문득 늙은 어머니를 보고 있던 딸의 마음에 어머니에 대한 감사의 정이 치솟았다.

'만일 어머니가 없었다면, 오늘의 나는 존재할 수 없었을 것이다. 일찍이 홀로 된 어머니가 허리띠를 졸라매고 장사하여 입히고 먹이고 키워주셨는데, 어머니가 어렵게 학비를 대주셔서 유학도 하고 공부를 마칠 수 있었는데, 어려운 일이 있을 때 온 몸을 던져가며 문제를 해결해주셨는데….'

갑자기 어머니 없는 자신의 인생은 존재할 수 없었다는 것을 깨달은 딸은 너무 고마운 나머지 어머니에게 말했다.

"어머니, 원하는 것이 있으면 뭐든지 말씀하세요. 제가 다 사드릴게요."

이 딸의 수준이 왜 이렇게 낮을까? 어머니가 어떤 물질적인 보답을 바라겠는가?

"나는 네가 잘 되는 것이 큰 기쁨이야. 다른 건 아무것도 필요치 않단다."

어머니의 말은 진심이었다. 그런데도 딸이 계속해서 다그치자 어머니가 말했다.

"주일에 교회 가는 것이 쉽지 않구나. 나를 교회까지 태워다주지 않으련? 돌아올 때도 문제가 되니까 나와 같이 교회에 가서 예배를 드리자구나."

형편이 넉넉해지자 교외에 좋은 집을 마련하여 이사를 했기 때문에 자연히 어머니가 다니던 교회에서 멀어졌고 교통편도 불편했기 때문이었다. 어머니의 이야기를 들어보니 그다지 어려울 것 같지 않아 딸은 그렇게 하겠다고 말했다. 사실 고등학교 때까지 딸도 그 교회를 다녔다. 그런데 공부를 핑계로 그후 교회에 다니지 않았던 것이다.

어머니와 함께 교회에 나가자 많은 사람들이 모녀를 환영했다. "권사님의 오랜 기도가 드디어 이루어졌군요"라고 인사하는 사람도 있었다. 예배 시간이 되자 목사님도 칭찬과 격려를 아끼지 않으셨다.

"훌륭한 교수님이 오늘 이 예배에 나오셨습니다. 환영합니다."

예배 시간에 개인을 치켜세우는 것은 바람직하지 않았지만,

어쨌든 그런 대접을 받고 보니 여 교수인 딸도 싫지 않았다. 예배를 마치고 휴게실에서 잠시 쉬고 있을 때 딸과 동년배쯤 되어 보이는 여성들이 옆에서 수다를 떨기 시작했다. 듣고 싶지 않았지만 너무 크게 떠드는 바람에 그들이 하는 이야기를 모두 듣게 되었는데 그것은 서로 헐뜯는 내용이었다.

'예수 믿는 것들도 별 수 없군.'

불쾌한 기분으로 자리를 뜬 딸은 2층 통로 쪽 의자에 앉았다. 그런데 그 교회 장로라는 사람이 그녀를 찾아와 자기 아들의 기부 입학을 청탁하는 것이 아닌가. 그녀는 화가 치밀었다. 평소에 적어도 대학만큼은 공정하게 실력으로 가야 한다는 소신을 가진 그녀로서는 돈 있는 자들이 더하다는 생각에 치가 떨려왔다. 심지어 예수를 믿노라 하는 사람이 어떻게 이럴 수 있는가 싶었지만 그녀는 체면상 화를 참고 또 참았다.

그런데 이번에는 옆 회의실 문이 열리고 그 안에서 싸우는 소리가 바깥까지 들리기 시작했다. 무슨 회의를 하는 모양인데, 생각이 어찌나 다른지 꽤 심각한 싸움이 되는 것 같았다. 놀라운 것은 그들이 입에 담는 말들이 세상 사람들도 잘 쓰지 않는 아주 심한 욕설이었다는 것이다. 이제는 더 이상 참을 수 없었다. 치밀어 오르는 분노를 간신히 억누르고 어머니를 찾아갔다. 그리고 이머니의 손을 잡아끌고 나오려고 했다.

"어머니, 다시는 교회에 오지 마세요. 일요일이면 내가 소풍 모시고 다닐 테니, 다시는 교회에 오지 맙시다."

상황이 심상치 않다는 것을 알아차린 어머니가 물었다.

"너, 왜 그러니?"

어머니는 항상 딸의 투정, 짜증까지 다 받아주던 그런 수용적인 분이었다. 화를 내거나 혼내는 일이 거의 없는 어머니였다. 그런데 그때만큼은 어머니의 태도와 표정에 예전에 보지 못했던 단호함이 서려 있었다. 어머니의 단호함에 주눅이 든 딸은 지금까지 있었던 자초지종을 이야기했다. 그러자 어머니가 이렇게 말했다.

"나는 평생 교회를 다니면서 예수님만 봤는데, 너는 교회에 딱 하루 나와서 참 많은 것을 보았구나."

이 말에 딸은 큰 충격을 받았다. 그동안 무식한 어머니가 아무 의미도 목적도 없이 그저 교회에 다닌다고 생각해왔기 때문이다. 소위 복만 비는 기복 신앙의 소유자인 줄만 알았던 어머니의 말과 태도가 범상치 않아 보였다. 자기와 비교할 수 없는 높은 수준의 신앙심이 느껴졌다. 어머니는 자기처럼 저속하게 문제만 바라보는 눈이 아니라 예수님을 보고 가치를 볼 줄 아는 그런 눈을 가지고 있었다. 어머니의 태도에 딸은 무너져 내렸다.

바라보는 대로 가는 인생

핵심을 보는가? 통찰력을 가졌는가? 당신은 지금 무엇을 보고 있는가? 신사적인 믿음을 가진 사람은 생명을 본다. 비전을 본다. 하나님을 본다. 예수님을 본다. 성령의 역사를 바라본다.

사람은 보는 대로 가게 되어 있다. 오른쪽을 보는 사람은 오른쪽으로 간다. 왼쪽을 보는 사람은 왼쪽으로 간다. 자신의 미래를 알고 싶은가? 지금 현재 자기가 바라보는 곳이 자신의 미래이다. 믿음을 보면 믿음으로 간다. 긍정을 보면 긍정으로 간다. 보는 것이 미래이다.

바라보는 곳으로 가지 않는 사람은 오직 한강 둔치에서 뒤로 걷는 아줌마들뿐이다. 한강에 나가보라. 복면을 하고 선캡을 눌러쓴 아줌마들이 하나같이 뒤로 걷는 광경을 볼 수 있다. 누가 뒤로 걸으면 몸에 좋다고 했나보다. 하지만 생각 없이 대담하게 뒤로 걷다보니 자전거와 부딪히는 사고도 일어난다. 그래서 나는 뒤로 걷는 사람들이 싫다. 자기가 쳐다보는 곳이 미래가 되지 않는 것은 한강의 아줌마밖에 없다.

그러나 분명한 것은 모두 지금 바라보는 곳으로 간다는 것이다. 보는 것이 미래이다. 영광스러운 미래를 원하는가? 영광스러운 것을 바라보라. 아름다운 미래를 원하는가? 아름다운 것을 바라보라. 신사적이란 아름다운 것을 바라보는 눈에서 시작된다.

둘째, 표현의 변화가 있어야 한다

우리는 좋은 것을 표현해야 한다. 좋은 것을 표현하는 사람이 신사적이다. 말로 표현해야 한다. 말로 표현한 것만 보존된다. 좋은 것을 표현해야 좋은 것이 내 곁에 머문다. 행복한 사람은 행복할 때 그것을 말로 표현한다. 그래서 항상 행복하다. 불행한 사람은 불행한 것에만 반응한다. 그래서 불행한 것이다. 이런 사람은 설교를 들어도 마찬가지이다. 좋은 것에는 무반응이다가 좀 이상하고 틀리는 것만 나오면 예민하게 반응한다.

행복하게 사는 사람과 불행하게 사는 사람을 관찰해보면, 그들의 삶 가운데 일어나는 고난이 거의 비슷하다는 것을 알 수 있다. 문제는 그 고난을 어떻게 받아들이느냐 하는 것이다. 그에 따라 운명이 달라진다. 행복하게 사는 사람은 찾아온 실패를 실패로 인정하지 않는 경향이 있다. 그렇다. 실패를 과정으로 생각한다.

대학 입시를 준비하는 고등학생은 흔히 대입 시험을 보기 전에 모의고사를 본다. 1년에 6번 정도 보는 것으로 안다. 그런데 시험은 잘 볼 때도 있고 못 볼 때도 있는 것이다. 만일 모의고사를 치를 때마다 시험을 망쳤다고 하자. 한 학생이 그런 과정을 거쳐서 대학에 합격했다면, 결국 6번 실패하고 1번 성공했다고 말하겠는가? 아니다. 그냥 첫해에 입시에 성공했다고 말한다. 모의고사는 과정이기 때문이다.

내게도 많은 고난이 있었다. 그렇지만 나는 그것을 실패로 생각해본 적이 없다. 그래서 주위에서 나를 볼 때 나는 매사 승승장구하는 사람이라고 생각한다. 고난과 실패는 같은 빈도로 찾아온다. 그러나 실패를 과정으로 생각하면 실패는 없는 것이다. 나는 어떤 일을 할 때 될 때까지 한다. 그러니까 항상 성공이다. 아무리 많은 실패를 거듭해도 그것은 단지 과정이었기 때문이다. 성공했다 하면 그것은 단번에 거둔 성공이 된다. 그러니까 실패를 논할 이유가 없어지는 것이다. 태도와 표현의 문제는 이렇게 중요하다.

우울하게 사는 비결이 있다. 아무리 날씨가 맑고 화창해도 절대로 표현해서는 안 된다. 기분이 좋아도 절대로 표현하지 말라. 그러면 당신에게서 우울함이 절대 사라지지 않을 것이다. 반대로 날씨가 나쁠 때는 반드시 표현한다. 날씨가 안 좋으면 날씨가 되게 안 좋다고 반드시 소리쳐야 한다. 나쁜 사람을 만나면 "쓰레기 같은 인간을 만났다"라고 반드시 표현해야 한다. 그러면 반드시 우울해진다.

좋은 것을 표현하라! 좋은 느낌, 사랑, 믿음은 말로 표현해야 한다. 그래야 보존된다.

표현할 때 내 것이 된다

인생에서 벌어지는 일들은 떠다니는 구름과 같다. 인생은 흐름이다. 다 흘러간다. 뭉게구름이 있고 먹구름이 있다. 표현하지 않고 가만히 놔두면, 먹구름이라고 해서 꼭 비를 내리는 것은 아니다. 나쁜 것이 있으면 그냥 '통과' 시켜라. 자꾸 표현해서 인생의 불행을 확정짓지 말라. 표현하는 것이 현실이 된다는 점을 기억하라.

내가 처음 이성에게 사랑을 느낀 것은 초등학교 5학년 때이다. 그 후에도 뭇 여성들이 내 마음을 사로잡았고 매력을 느꼈던 여성들도 여럿 있었던 것 같다. 그런데 나는 지금의 아내와 결혼했다. 평생 내가 만나본 가장 아름다운 여성이자 가장 매력적인 여성이라서 결혼했을까? 그럴 수도 있다. 그러나 가장 분명한 이유는, 지금의 아내가 내가 결혼하자고 말한 유일한 여성이라는 것이다. 어찌 보면 나를 더 강렬하게 매료시킨 여성, 더 아름답다고 느낀 여성이 따로 있을 수도 있다. 그러나 표현하지 않으면 다 흘러가버리고 만다. 표현해야 아내가 된다. 표현해야 내 곁에 머문다. 예쁘다, 좋다, 아름답다, 기분 좋다고 분명히 표현하라. 그것이 신사적이다.

표현의 중독

반면에 나쁜 경험도 있다. 기분 나쁜 행동, 무례한 행동, 이상한 행동을 하는 사람이 있다. 그런 행동은 인생의 먹구름이다. 그럴 때는 건드리지 말고 넘어가라. 그러면 없어진다. 굳이 그것을 표현해서 보존할 필요가 없다. 나쁜 것을 없애는 방법은 언급조차 하지 말고 그냥 잊는 것이다. 반응하지 않으면 나쁜 것은 반이나 없어진다. 섭섭한 마음, 안타까운 마음을 매번 표현하지 말라.

"까놓고 말해봅시다."

이것은 언제나 마귀가 부르는 쾌재이다.

분노에 대한 잘못된 접근 중 하나가 '상처 이론'이다. 간단히 설명하면, 우리에게는 모두 표현하지 않은 분노가 있다는 것이다. 그것이 상처가 되어서 지금의 행동에 깊은 영향을 끼친다는 이론이다. 따라서 그 상처에서 벗어나려면 다 말해버리고 감정의 찌꺼기까지 날려버려야 한다는 것이다.

그래서 분위기 있는 음악을 틀고 분위기가 무르익으면 고백하라고 다그친다. 어떤 사람은 과거 상처와 아픔을 고백하면서 어린아이 소리를 내기도 하고, 통곡을 하기도 하고, 욕설을 내뱉기도 한다. 그렇게 하면 상처가 해소된다니 나는 어이가 없었다. 기독교가 가톨릭도 아니고 사람에게 고해성사(告解聖事)해야 할 필요는 없다. 하나님께 아뢰고 회개하면 된다. 이런 고백을 하면 도리어 고백을 들은 사람이 낸 소문 때문에 고백한 사람이 재차 더 큰 상처를 입기도 한다. 이 비밀을 단체나 조직을 떠나지 못하게 만드는 협박의 구실로 삼는 비열한 경우도 몇 번 보았다.

나는 상처 이론에 대해 이런 의문이 생긴다. 수많은 인간의 감정 가운데 왜 유독 분노만 그렇게 처리하느냐는 것이다. 다른 감정들, 이를테면 기쁨이나 감사, 감격의 감정을 이런 식으로 드러내서 표현해야 한다고 들은 적이 있는가?

"당신 안에 표현하지 않은 기쁨이 있습니다. 표현하지 않은 '기쁨'이 속에서 썩고 있습니다. 큰일입니다. 그것이 병이 될 것입니다. 당신에게는 표현하지 않은 감사가 있군요. 큰일입니다. 표현하지 않으면 '감사'가 썩어서 당신에게 독이 될 것입니다."

이런 말은 없다. 그런데 유독 분노만은 표현해야 한다는 이 이상한 이론이 실제 우리의 삶을 크게 해치고 있다.

자꾸 표현하는 것은 상처의 치유라기보다는 오히려 중독에 가깝다. 모든 것에는 중독성이 있다. 어떤 모임에서 누가 화를 냈다는 말을 들었다. 그러면 대개 누가 화를 냈을지 예측할 수 있다. 왜 그런가? 평소 화를 내는 사람이 화를 내기 때문이다. 어떤 모임에서 누가 크게 감사했다는 말을 듣는다. 그러면 대부분 감사를 표현한 사람이 누구인지도 안다. 왜일까? 평소 감사하는 사람이 감사할 줄 알기 때문이다.

외국에서 집회를 하다보면 종종 귀한 선물까지 받는 일이 생긴다. 볼펜이나 티셔츠 등을 정성스럽게 건네는 경우가 있다. 방문했던 교회를 재차 방문하는 경우가 늘면서 서로 안면 있는 사이가 되기도 한다. 그런데 특이하다. 같은 교회를 여러 차례 방문하게 되면 여러 사람이 돌아가면서 선물을 줄 것 같은데 아니다. 주는 사람이 또 준다. 나는 이때 알았다. 평소 하는 행동이 그 사람의 인성으로 굳어진다는 것을.

한번은 베트남에 갔다. 베트남에도 사막이 있다. 무이네 사막이라는 모래사막이다. 처음에 내가 앞장서서 걸었다. 그랬더니 발자국이 남았다. 내 뒤로 20명 정도가 따라왔다. 그랬더니 길이 생겼다. 그때 알았다. 처음 가면 자국이 남지만 계속 가다보면 길이 생긴다는 것을.

분노를 자꾸 표현하면 중독이 된다. 기쁨을 자꾸 표현하면 중독된다. 좋은 것을 표현할 때 신사가 된다. 명심하라. 카타르시스가 분노를 다스리는 데 실질적인 도움이 되었다는 연구 결과는 아직까지 없다.

셋째, 마음의 방향에 변화가 있어야 한다

신앙이란 방향의 문제이다. 위치가 아니라 하나님을 향한 뜨거운 마음 방향을 말하는 것이다. 신앙생활을 오래 한 사람

중에도 이런 오해와 착각에 빠지는 경우가 종종 있다. 오래 들은 말씀이라서 다시 물어보지도 못하고, 그렇지만 솔직히 잘 모르겠고, 이해하기도 어려운 그런 성경의 내용이 있을 수 있다. 사울과 다윗의 죄 문제를 예로 들어보자.

사울의 죄가 무엇인가? 성경을 보면 제사장만 드리는 제사를 대신 드린 일을 죄라고 하는데, 이것은 충분히 동정할 여지가 있다. 일단 사무엘이 왜 지각을 해서 왕이 실수할 빌미를 제공했는지 물을 수 있다. 그래서 사울의 잘못이라기보다는 사무엘의 잘못이라는 생각이 들기도 한다. 사울은 하나님께 제사를 드리기 위해 지극히 애썼다. 단지 형식상의 문제가 있었을 뿐이다. 아말렉을 멸절시키라는 명령에 불순종했다는 것도 사울의 죄로 본다. 아각 왕을 살리고 좋은 물품을 남겨두었기 때문이다. 그래도 하나님의 말씀에 순종하는 모습을 보이지 않았는가? 순종이 불충분했는지 모르지만 노골적으로 불순종한 것은 아니라고 반문할 수도 있다. 사실 심정적으로 사울이 뭐 그리 큰 죄를 지었는지 쉽게 납득하기 어렵다.

반면에 다윗은 어떤가? 다윗은 남편이 있는 여자와 간음했다. 거기서 그친 것이 아니다. 밧세바의 남편을 죽음으로 몰아 넣었다. 교만하게 인구조사까지 했다. 죄질이나 죄의 경중을 따지고 보면 다윗이 훨씬 악하다. 사울과 다윗을 모른다고 가정하고 누가 더 악한지 묻는다면 다수가 다윗이 더 악하다고 대답할 것이다.

그런데도 성경은 다윗을 '내 마음에 합한 자'라고 설명한다. 이것이 납득이 되는가? 왜 이런 오해와 납득하기 어려운 일들이 벌어지는가? 그것은 그들의 신앙을 방향이 아닌 위치로 파악했기 때문이다.

다윗은 범죄했지만 하나님을 향한 뜨거운 마음이 있었다. 다윗의 마음은 항상 하나님을 향해 기울어져 있었다. 다윗의 마음은 하나님을 향한 운동성이 있었다. 반면에 사울은 마음이 움직이지 않았다. 하나님을 향한 뜨거움이 없었다. 시편 51편을 보라. 다윗은 범죄했지만 다른 한편으로 하나님을 향한 뜨거운 마음을 간직하고 있었다. 통곡하는 마음이 있었다. 하나님은 그 점을 귀하게 보셨다.

하나님을 향한 마음의 기울기

서울에서 부산으로 가는 기차가 있다. 서울을 떠나 수원을 지나고 있다. 기차가 수원에 정차해 있다면 기차는 서울에 가까운가, 부산에 가까운가? 물론 서울에 더 가깝다. 그러나 이 기차는 분명히 부산행 기차로서 부산을 향해 가고 있다. 시간이 흐를수록 부산에 더 가까워질 것이다. 부산을 떠난 기차가 밀양에 도착했다고 하자. 이 기차는 서울에 가까운가, 부산에 가까운가? 물론 부산에 가깝다. 그러나 이 기차를 서울행 기차라고 말한다. 왜냐하면 서울을 향하고 있기 때문이다.

어디쯤 있는지 위치로 파악하면 오해하게 된다. 그러나 신앙은 방향성이다. 저 사람은 누구보다 더 많은 죄를 지었는데 왜 구원받는지, 왜 하나님의 사랑을 받는지 이해할 수 없다고 외치는 사람들은 대개 신앙을 평면적으로 이해한 사람들이다.

에서와 야곱을 보라. 에서의 죄가 무엇인가? 가슴에 발모제라도 발랐는지 털이 무성하게 난 죄밖에 더 있는가? 너무 배가 고파서 팥죽 한 그릇을 먹겠다고 실언한 죄밖에 더 있는가? 에서에 대해서 일말의 동정심이 생기는 이유가 여기에 있다. 반면에 야곱은 자타가 공인하는 완벽한 악인이다. 사기로 똘똘 뭉친 사람이다. 에서의 장자권도 탈취하고 축복도 탈취한다. 그는 가는 곳곳에서 사기를 친다.

에서와 야곱 중에 누구의 죄가 더 많으냐고 한다면, 당연히 야곱의 죄가 더 많다. 그런데 성경에는 하나님께서 야곱을 사랑하고 에서를 미워하셨다고 한다. 이것이 이해가 되는가? 바로 평면적인 위치에서 신앙을 파악했기 때문이다.

그러나 방향으로 파악하면 하나님의 뜻은 자명해진다. 야곱에게는 항상 하나님을 향한 열망이 있었다. 들판에서 돌베개를 베고 자며 하나님을 바라보았고 하나님의 복을 열망했다. 얍복 강가에서 하나님의 복을 구하느라 생명을 걸고 씨름했다. 그의 마음은 항상 하나님을 향하고 있었다.

그러나 에서에게는 그 마음이 없다. 하나님을 모르고 하나님이 주시는 복의 가치를 모른다. 그에게 장자권이란 배고프면 얼마든지 팥죽 한 그릇에 팔아버릴 수 있는 하찮은 것이었다.

"한 그릇 식물(食物)을 위하여 장자의 명분을 판 에서와 같이 '망령된 자'가 있을까 두려워하라"(히 12:16).

성경은 그런 에서를 '망령된 자'라고 말한다. 한마디로 "망할 놈"이라는 뜻이다.

누구 죄가 더 큰가?

신약의 바리새인과 세리와 창기들을 보라. 누가 더 죄를 많이 지었는가? 바리새인은 십일조를 잘 드렸다. 누가 시키지 않아도 일주일에 이틀씩 금식했다. 겉으로 드러나는 바리새인의 죄는 거의 없다. 반면에 세리와 창기가 누구인가? 로마의 앞잡이로 같은 민족으로부터 할당된 혈세를 거두는 데 혈안이 된 매국노가 바로 세리이다. 창기가 누구인가? 돈을 받고 몸을 파는 여자가 아닌가? 누가 뭐라고 해도 이들은 완벽한 죄인이다.

그러면 바리새인과 세리, 창기 중 누구의 죄가 더 큰가? 두말없이 세리와 창기의 죄가 더 크다. 그러나 예수님은 바리새인을 비난하셨고 세리와 창기에게 우호적이셨다. 이것이 이해가 되는가? 이 역시 신앙을 방향으로 파악했기 때문이다. 세리와 창기는 하나님을 향한 뜨거운 회개의 마음을 품었다.

그들의 마음이 하나님을 향하고 있었다는 말이다.

"세리는 멀리 서서 감히 눈을 들어 하늘을 우러러 보지도 못하고 다만 가슴을 치며 가로되 하나님이여 불쌍히 여기옵소서 나는 죄인이로소이다 하였느니라"(눅 18:13).

세리의 마음이 흐르는 방향이 보이는가? 반면에 바리새인은 굳은 마음, 자부심으로 가득 차 있다.

"바리새인은 서서 따로 기도하여 가로되 하나님이여 나는 다른 사람들 곧 토색, 불의, 간음을 하는 자들과 같지 아니하고 이 세리와도 같지 아니함을 감사하나이다"(눅 18:11).

진짜 신앙은 주님을 바라보는 것이다. 마음의 방향이 하나님을 향하는 것이다. 또한 신앙은 기다리는 마음이다. 모든 것을 다 해주는 힘에서 사랑이 나오는 것이 아니다. 해주고 싶지만 해주지 못하는 안타까움, 거기에서 진실이 나온다.

사랑 = 안타까움, 기다림

성탄절을 맞이하여 아들에게 멋진 선물을 사주고 싶었지만, 가난한 아버지에게는 그만한 돈이 없었다. 가난한 아버지는 길거리 좌판에서라도 아들에게 선물을 사주고 싶은 마음에 아들을 데리고 나왔다. 아버지의 마음도 모르고, 아들은 갖고 싶은 비싼 물건에만 손을 뻗었다. 아버지는 적당히 값싼 물건을 추천했지만 아들은 전혀 흥미를 보이지 않았다.

아버지와 아들이 서로 주의를 끌려고 애쓰면서 말없는 신경전을 벌이는 사이, 어느 순간 아들은 자신의 철없음을 깨닫게 된다. 물건에 대한 욕심 때문에 한동안 정신을 잃은 모양이라고 생각했다. 무엇이든 좋은 것을 사주고 싶어 하는 아버지 마음이야 오죽하겠는가. 아버지의 마음을 헤아리고, 아버지의 상황을 파악한 아들이 불현듯 이렇게 말했다.

"갖고 싶은 물건은 없어요. 그렇지만 올해 성탄절은 식구들과 다함께 집에서 보내고 싶어요."

부자(父子)는 결국 아무것도 사지 않고 집으로 돌아왔다. 두 사람은 거의 아무 말이 없었다. 그러나 눈빛으로 많은 말을 하고 있었다. 아버지는 갖고 싶은 물건이 있었지만 아버지의 입장을 헤아려서 필요 없다고 말한 아들의 진심을 보았다. 기특한 마음과 고마운 마음이 들었다. 아들은 잠시나마 아버지의 마음을 괴롭게 한 것이 죄송했다. 그리고 돈은 없지만 자기에게 뭐든 사주고 싶어 하는 아버지의 따뜻한 사랑을 깨닫고 깊이 감사했다. 아들은 아버지의 안타까운 마음을 읽었고 아버지는 부모의 마음을 헤아릴 줄 아는 아들의 속 깊은 마음을 읽었다. 사랑은 안타까움이다. 사랑은 안타까움을 이해하는 마음이다.

하고 싶은 것을 척척 해주는 것이 좋은 것인가? 아니다. 해주고 싶은데 할 수 없는 것, 그곳에서도 사랑이 피어난다. 해주고 싶은데 해줄 수 없을 때, 사랑하는 사람에게 마음껏 해주는 꿈을 꾸게 된다. 연약하기에 꿈을 꾼다. 꿈꿀 수 있다는 것은 약한 자, 할 수 없는 자에게 임하는 축복이다.

해주고 싶지만 할 수 없는 아버지의 가슴에 꿈이 있다. 해주고 싶지만 할 수 없는 남편의 가슴에 꿈이 있다. 할 수 있는 사람은 그냥 한다. 그래서 꿈이 없다. 세상에서 가장 불행한 것은 연약함을 부정하는 것이다. 약해서 해주고 싶지만 할 수 없을 때 사랑이 일어난다. 기다림이 바로 사랑이다.

오 헨리의 단편 '크리스마스 선물'이 있다. 어떤 가난한 부부가 있었다. 남편에게는 조상으로부터 물려받은 좋은 금시계가 있었다. 그런데 시계 줄이 낡았다. 아내는 아름다운 머리카락을 가지고 있다. 그런데 빗이 없다. 성탄절이 되었다. 남편은 시계를 팔아 아내를 위해 빗을 샀다. 아내는 머리카락을 팔아 남편을 위해 시계 줄을 샀다. 이 이야기의 주제가 무엇인가? 어리석게도 두 사람 다 쓸모없는 물건을 샀다는 것인가? 시계 없이 시계 줄만 가지고 무엇하겠는가? 머리카락 없이 빗은 가져다 무엇하겠는가?

다들 잘 알겠지만 이 이야기의 주제는, 가난한 부부는 쓸모없게 된 시계 줄, 쓸모없게 된 빗을 선물 받았지만 행복했다는 것이다. 이것이 사랑이다. 나는 우리가 가난하더라도 이런 사랑의 감격을 맛보기 원한다. 교회는 이런 감동과 감격이 물결치는 곳이 되어야 한다. 돈이 다가 아니다. 상대를 향해 움직이는 마음이 있어야 한다.

나는 여러 가지로 부족한 목사이다. 그렇지만 나에게도 목회를 하면서 특별한 감격을 누리는 시간이 있다. 그때가 언제인고 하면, 이상하게 교인들을 향해서 미안한 마음이 들 때이다. 좀 더 사랑해주고, 좀 더 기도해주고, 좀 더 헌신해야 한다는 생각에 그저 미안한 마음이 앞설 때이다. 목회자가 부족한 마음, 미안한 마음을 품을 때, 교회는 가장 건강했다.

교인들도 마찬가지이다. 목회자에게 미안한 마음이 들 때가 있다. '목회자가 열심히 뛰어다니는구나, 잠을 못 자서 눈도 제대로 뜨지 못하는구나, 하나님 앞에서 열심히 목회하겠다고 저렇게 버둥질하는구나' 하면서 미안해할 때, 교회는 감격으로 넘쳐났다.

신앙과 사랑을 위치로 파악하지 말고 방향으로 파악하라. 그러면 이해할 수 없던 모든 상황, 모든 말씀, 모든 마음을 이해하게 될 것이다. 행복은 마음의 가난함에 있다.

Confidence Manifesto

1. 좋은 것이 머무르는 신사가 되기 위해서는 시선의 변화가 있어야 한다.

· · ·   좋은 것을 바라보는 사람이 신사이다. 보는 것의 차이가 신사를 만들어낸다. 사람은 보는 대로 가게 되어 있다. 오른쪽을 보는 사람은 오른쪽으로 간다. 왼쪽을 보는 사람은 왼쪽으로 간다. 자신의 미래를 알고 싶은가? 지금 현재 자기가 바라보는 곳이 자신의 미래이다. 영광스러운 미래를 원하는가? 영광스러운 것을 바라보라. 아름다운 미래를 원하는가? 아름다운 것을 바라보라. '신사적'이란 아름다운 것을 바라보는 것에서 시작된다.

2. 좋은 것이 머무르는 신사가 되기 위해서는 표현의 변화가 있어야 한다.

· · ·   좋은 것은 표현해야 한다. 좋은 것을 표현하는 사람이 신사이다. 말로 표현해야 한다. 말로 표현하는 것만 보존된다. 좋은 것을 표현해야 좋은 것이 내 곁에 머문다. 행복한 사람은 행복할 때 그것을 표현한다. 그래서 항상 행복하다. 불행한 사람은 불행한 것에만 반응한다. 그래서 불행한 것이다. 좋은 것을 표현하라. 좋은 느낌, 사랑, 믿음은 말로 표현해야 한다. 그래야 보존된다. 예쁘다, 좋다, 아름답다, 기분 좋다고 분명히 표현하라. 그것이 신사적이다.

3. 좋은 것이 머무르는 신사가 되기 위해서는 마음의 방향 변화가 있어야 한다.

• • •   신앙이란 방향성의 문제이다. 위치가 아니라 하나님을 향한 뜨거운 마음의 방향을 말하는 것이다. 다윗은 범죄했지만 하나님을 향한 뜨거운 마음이 있었다. 그러나 사울은 그런 마음이 없었다. 야곱에게는 하나님의 복을 열망하는 마음이 있었다. 그러나 에서에게는 그것이 없었다. 진짜 신앙은 주님을 바라보는 것이다. 또한 신앙은 기다리는 마음이다. 모든 것을 다 해주는 힘에서 사랑이 나오는 것이 아니다. 해주고 싶지만 해주지 못하는 안타까움, 거기에서 진실이 나온다. 돈과 권력이 다가 아니다. 상대를 향해 움직이는 마음이 있어야 한다.

걱정에 휩싸였을 때 **자신감**을 심어주는
하나님의 약속

시편 121:4-8
이스라엘을 지키시는 자는 졸지도 아니하고 주무시지도 아니하시리로다
여호와는 너를 지키시는 자라 여호와께서 네 우편에서 네 그늘이 되시나니
낮의 해가 너를 상치 아니하며 밤의 달도 너를 해치 아니하리로다
여호와께서 너를 지켜 모든 환난을 면케 하시며 또 네 영혼을 지키시리로다
여호와께서 너의 출입을 지금부터 영원까지 지키시리로다

시편 23:1,2
여호와는 나의 목자시니 내가 부족함이 없으리로다
그가 나를 푸른 초장에 누이시며 쉴 만한 물가으로 인도하시는도다

시편 125:1,2
여호와를 의뢰하는 자는 시온산이 요동치 아니하고 영원히 있음 같도다
산들이 예루살렘을 두름과 같이 여호와께서 그 백성을 지금부터 영원까지 두르시리로다

Confidence

반대를 포용하면
더 강해진다

나도 틀릴 수 있고, 상대방도 맞을 수 있다는
열린 마음을 가져야 반대편이 보이기 시작한다.
그럴 때 반대를 포용할 수 있다.
항상 좀 더 넓어지기 원한다면 반대를 따뜻하게 품어야 한다.

. . . . . .

Chapter 4

마음 넓히기

생명의 사람은 시간이 가면 갈수록 넓어진다. 하나님은 넓게 만드시는 반면 마귀는 좁게 만든다는 것을 기억하라. 바울도 좁은 마음을 넓히라고 권면한다.

"내가 자녀에게 말하듯 하노니 보답하는 양으로 너희도 마음을 넓히라"(고후 6:13).

넓어지는 길은 무엇인가? 반대를 포용하면 그만큼 넓어진다. 반대를 포용하면 그만큼 더 강해지고 반대를 포용하면 더 자신감이 생긴다.

사도행전 19장에는 에베소에서 일어난 소동 이야기가 나온다. 나는 사도행전 19장을 읽으면서 큰 의미도 없는 일들을 왜 장황하게 설명하는지, 별다른 내용도 없는데 왜 그렇게 오래 설명하는지 의구심을 품었다. 그러나 성경의 기록 중 의미 없는 기록이란 없다. 긴 설명을 통해 나타내고자 하는 것은 영적 싸움의 본질이 과연 무엇인가 하는 문제이다. 마귀는 항상 신자들이 허상과 싸우도록 만든다. 거품과 싸우게 만든다. 그러나 속지 말라.

에베소에서 부흥이 일어났다. 그래서 많은 사람들이 회개하고 우상을 파괴하는 일들이 벌어졌다. 그때 은장색인 데메드리오가 동업자들을 선동하기 시작했다. 은장색이란 영어로 'silversmith', 지금으로 말하자면 은세공업자이다. 그는 아데미(다이아나) 여신의 모형 신전을 만들어서 직공들에게 많은 돈벌이를 하도록 해준 사람이었다.

그런데 바울이 전한 주님의 도(道) 때문에 많은 사람들이 신자가 되었고, 특히 사람이 손으로 만든 신은 신이 아니라고 말하는 바울 때문에 자신들이 섬기는 아데미 여신의 위신이 추락할 위험에 처했으며, 그렇게 되면 그들의 사업에 큰 지장을 초래할 수 있으니 그를 없애버리자고 무리를 선동하여 나선 것이다. 그렇게 그들은 에베소에서 섬기는 여신 아데미를 높이며 2시간 넘게 난동을 부렸다. 마침 당도한 서기장이 무리를 진정시킨 뒤, 만일 문제가 있으면 재판을 열면 될 것 아닌가 하고 말하여 무리를 해산시켰다는 내용이다.

마귀의 훼방을 이기는 길

영적 싸움의 본질은 무엇인가? 영적 싸움의 배후에 마귀가 있다는 것을 명심하라는 것이다. 마귀는 아무것도 아닌 일을 크게 만드는 자이다. 작은 일에 불을 지르고 크게 선동하는 데 천재이다. 선동의 배후에는 마귀가 있다. 우리가 아무 일도 하지 않을 때는 마귀도 가만히 있는다. 하지만 우리가 무언가 하나님의 일을 하려고 하면 마귀의 방해는 극심해진다.

"이 일이 다 된 후 바울이 마게도냐와 아가야로 다녀서 예루살렘에 가기를 경영하여 가로되 내가 거기 갔다가 후에 로마도 보아야 하리라 하고"(행 19:21).

바울은 로마로 가려고 했다. 그러나 새로운 사역을 시작하려고 하자 마귀가 준동하기 시작했다. 어떤 사람은 신앙생활을 수십 년 했지만 마귀를 본 적이 없다고 말한다. 마귀가 어디 있느냐고 외치는 사람도 있다. 왜 그런가? 마귀와 같은 방향으로 걸으니까 마귀가 보이지 않는 것이다. 마귀를 대적해 보라. 당장 잔악한 마귀와 대면하게 될 것이다. 마귀를 대적하면 마귀가 보인다. 아무것도 하지 않으면 마귀도 우리를 가만히 둔다. 그러나 주(主)의 일을 하려고 힘쓰면, 마귀가 극렬히 방해하기 시작할 것이다. 마귀는 우리가 대적해야 할 대상이다. 마귀는 대적하면 도망친다. 이것이 실상이요 성경의 진리이다.

"그런즉 너희는 하나님께 순복할지어다 마귀를 대적하라 그리하면 너희를 피하리라"(약 4:7).

그러면 마귀의 훼방을 이기는 길은 무엇인가?

첫째, 쓸데없는 싸움에 말려들지 말아야 한다

마귀의 목적은 우리를 선동하는 것이다. 선동에 말려들도록 하려면 깊이 생각하지 못하게 해야 한다. 흥분할 때가 가장 속기 쉬운 상태이다. 생각 없이 흥분하는 사람을 통해서 쓸데없는 싸움이 일어난다는 것을 명심하라.

마귀가 선동하려고 할 때 이기는 길은 흥분하지 않는 것이다. 너무 빠르게 대응하지 않는 것이다. 분한 마음에 흥분했다면 곧 흥분을 가라앉혀라. 그 흥분은 그리 오래가지 않는다. 마귀가 쓰는 방법은 대개 뿌리가 없다. 조금만 시간이 지나도 허망해지는 것들이다. 미움의 힘 또한 생명이 아니기 때문에 오래가지 못한다. 마귀도 그것을 알기 때문에 속전속결하려고 한다. 이런 마귀의 의도에 휘말려서는 안 된다.

가이오와 아리스다고가 붙잡혔다는 소식이 들리자 강직한 성격의 바울은 자기가 직접 나서서 대응하려고 했다. 그러나 제자들이 일제히 이를 말려서 가지 않았다.

바울이 두려워서 가지 않은 것인가? 아니다. 바울의 평소 태도를 보건대 바울은 고난을 두려워하는 사람이 아니다. 그것은 일종의 지혜였다. 악한 선동에 속지 않는 지혜로운 선택이었다.

"바울이 백성 가운데로 들어가고자 하나 제자들이 말리고 또 아시아 관원 중에 바울의 친구 된 어떤 이들이 그에게 통지하여 연극장에 들어가지 말라 권하더라"(행 19:30,31).

이때는 바울이 가는 것이야말로 마귀에게 속는 것이다. 그러나 분명히 기억해둘 것이 있다. 가짜는 생명력이 없다. 그래서 그냥 놔두면 사라진다. 생명이 아니기 때문에 오래가지 못한다. 시기 질투하는 마음으로 의기투합한 모임은 오래가지 못한다. 반감으로 모인 모임 역시 오래가지 못한다. 이때 대응하는 것은 오히려 더 오래가게 만드는 것이다. 쓸데없는 소모전으로 힘을 낭비하지 말아야 한다.

사소한 일에 목숨 걸지 말라. 다윗과 엘리압의 이야기를 보아도 명확하다. 다윗이 목숨을 걸고 골리앗을 물리치러 나갈 때, 큰 형 엘리압이 그를 방해한다. 근거도 없는 비난을 퍼부은 것이다.

"장형 엘리압이 다윗의 사람들에게 하는 말을 들은지라 그가 다윗에게 노를 발하여 가로되 네가 어찌하여 이리로 내려왔느냐 들에 있는 몇 양을 뉘게 맡겼느냐 나는 네 교만과 네 마음의 완악함을 아노니 네가 전쟁을 구경하러 왔도다"(삼상 17:28).

만일 이때 다윗이 엘리압과 싸웠다면 어떻게 되었을까? 골리앗과 싸워서 이기지 못했을 것이다. 마귀는 우군끼리 싸우게 만든다. 다윗이 골리앗을 물리치고 나자 엘리압은 이미 사라지고 없었다. 이후 성경에는 엘리압이라는 인물이 등장하지 않는다.

부딪혀서 이겨야만 이기는 것이 아니다. 쓸데없는 싸움을 피하는 것도 이기는 것이다.

둘째, 반대를 포용해야 한다

마귀를 이기려면 본질에 집중하고 반대를 포용해야 한다. 에베소 사람들은 내용도 모르고 흥분했다. 본질이 뭔지도 모르고 흥분했다. 2시간 동안 모여서 아데미를 찬양했다.

"저희는 그가 유대인인 줄 알고 다 한 소리로 외쳐 가로되 크다 에베소 사람의 아데미여 하기를 두 시 동안이나 하더니"(행 19:34).

의미 없이 2시간이나 외쳤다는 것은 무슨 뜻인가? 미쳤다는 말이다. 정신이 없다는 말이다. 비이성적이라는 말이다. 그때

서기장이 나와서 왜 모였는지 물으니 모인 연고를 아는 사람이 없었다. 그리고 흩어졌다. 조금이나마 이성적인 서기장의 중재 앞에 비이성적인 그들이 고스란히 무너지고 만 것이다. 흥분한 사람에게 필요한 것은 약간의 이성뿐이다. 그 반대를 품는 것이다.

지나치게 감성적일 때는 반대로 이성적으로 가야 한다. 감성과 이성의 균형이 중요하다. 균형 잡힌 사람이 되기 위해서는 반드시 겸손함이 필요하다. 겸손이란 "내가 최고가 아니다", "나는 완벽하지 않다"는 사실을 인정하는 것이다. 나도 틀릴 수 있고, 상대방도 맞을 수 있다는 열린 마음을 가져야 반대편이 보이기 시작한다. 그럴 때 반대를 포용할 수 있다. 반대편 소리를 들을 수 있도록 겸손한 마음을 가져야 한다.

항상 좀 더 넓어지기 원한다면 반대를 가슴으로 품어주어야 한다. 돈을 많이 가진 사람이 있다. 돈도 많은데 잘 베풀기도 한다면 어떻게 될까? 사람들이 그에게 모여든다. 민심을 얻기 시작한다. 그때 명심해야 할 것이 있다. 돈을 더 많이 써서 사람의 마음을 얻겠다는 방향으로 나가서는 안 된다는 것이다.

반대로 인간적인 따뜻함을 길러야 한다. 눈물과 희생을 배울 줄 알아야 한다. 그래야 물질을 제대로 쓸 줄 아는 사람, 따뜻한 인간미마저 겸비한 사람으로 각인될 수 있다.

타고난 친화력을 발휘하는 사람이 있다. 새로운 사람과 만나 몇 분만 같이 있어도 그 사람의 마음을 얻는 사람이다. 그것은 특별한 은사이며 귀한 재능이다. 그렇더라도 계속해서 친화력이 강한 사람이 되는 쪽으로만 힘을 기울여서는 안 된다. 반대쪽의 실력을 길러야 한다. 밥도 살 줄 아는 넉넉한 사람이 되도록 돈도 벌어야 한다. 그래야 친화력도 있고 실력도 갖춘 사람으로 오랫동안 인정받을 수 있다. 강력한 자기만의 은사가 있더라도 그것만 고집하는 일은 어리석다. 반대 요소, 자기에게 없는 약한 요소를 품어야 한다.

다리 놓기 – 반대쪽으로 가는 첫 발걸음

범죄한 인간은 잃어버린 하나됨을 회복하기 위해서 발버둥친다. 힘겹게 하나됨을 추구해보지만 그 안에는 여전히 타락한 인간의 요소가 남아 있다. 타락한 하나됨의 양상은 '묶기'

로 드러나며 이 묶기는 '끼리끼리' 라는 특징을 가진다. 같은 인종, 같은 고향, 같은 학교를 중심으로 끼리끼리 모이는 것, 이것이 일명 '묶기' 이다.

어설픈 하나됨, 이기적인 하나됨, 타락한 하나됨의 모습이다. 반대로 '다리 놓기' 란 서로 다른 것을 연결시키는 작업이다. 분리된 것을 연결시키는 일이다. 예수님은 중간에 막힌 담을 허시고 연결시키는 분이시다.

"그는 우리의 화평이신지라 둘로 하나를 만드사 중간에 막힌 담을 허시고"(엡 2:14).

다리 놓기를 하기 위한 전제는 자신과 반대편을 향해야 한다는 것이다. 가난한 사람이 가난한 사람들을 모으는 것은 묶기이다. 그래서 가난한 사람을 위해 일하는 사역자는 굳이 가난하지 않아도 좋다고 생각한다.

어느 교회에 빈민 사역을 꿈꾸는 사역자가 있었다. 담임목사는 그를 부유한 교인들이 모여 사는 구역의 담당자로 발령했다. 그는 화가 나서 담임목사를 찾아갔다. 그리고는 자신이 빈민목회에 대한 꿈을 가지고 있다는 것을 알면서 왜 부자 동네에 보냈느냐고 항의했다. 담임목사는 이렇게 말했다.

"부자를 모르고 어떻게 빈민목회를 할 수 있는가? 당신이 빈민목회를 하려고 하는 것인가, 혁명을 하려고 하는 것인가? 부자의 한계, 공허감, 그들의 더 많은 문제를 이해하지 못한다면 빈민을 대상으로 하는 목회도 불가능하다."

가난한 자가 부자를 이해하고, 부자가 가난한 자를 이해하는 것, 그것이 다리 놓기이다. 다리 놓기는 자기 이익을 주장하는 것이 아니라 상대의 이익을 대변하는 것이다.

살다보면 특권이 생기기도 한다. 그런데 그 특권을 자기를 위해서 누릴 것이 아니라 자신과 반대편에 서 있는 사람들을 위해 사용할 때 거기에서 생명력이 생긴다. 예수님은 능력 있는 분이셨고 그 능력으로 세리와 죄인들을 찾아가셨다. 그리고 그들을 대변해주셨다. 그래서 더 아름답고 강력했다.

프란시스와 그의 제자들이 근 10일을 금식한 뒤 수도원에서 내려와 시장을 지나갈 때였다. 제자 중 하나가 굶주림을 참지 못하고, 시장에서 파는 죽을 퍼먹기 시작했다. 그를 정죄하는 눈초리로 쳐다보는 다른 제자들이 금세 그를 둘러쌌다.

'이제 쫓겨나는 건 시간문제로군.'

죽을 먹던 제자는 차마 고개를 들지도 못하고 절망감에 사로잡혔다. 어색한 침묵이 계속되고 있을 때, 프란시스가 죽 파는 좌판에 뛰어들더니 자신도 게걸스럽게 죽을 먹으며 이렇게 외쳤다.

"나도 배가 고파 죽을 뻔했어. 얘들아, 너희들도 와서 어서 먹어."

고독한 제자의 자리에 스승인 프란시스가 같이 선 것이다. 결국 그의 행동이 곤경에 처한 제자를 살렸다. 이것이 성자의 모습이다.

하나님께서는 우리에게 힘을 주셨다. 이 힘을 묶는 데만 사용할 것이 아니라 자신과 다른 사람, 더 약한 사람과 우리 사이에 다리를 놓는 데 사용한다면 우리는 생명의 현상들을 분명히 체험하게 될 것이다.

육으로 살되 영을 좇아 사는 그리스도인

인간은 본능적으로 반대 요소를 추구한다. 그것이 '싫증' 이라는 형태로 나타난다. 아무리 좋은 것도 한쪽을 지나치게 강조하다보면, 반대에 대한 추구가 나타나기 시작한다. 나는 요즘 여성들에게 이렇게 이율배반적인 모습을 발견했다. 요즘 치마가 무척이나 짧아졌다. 그런데 그 속에 레깅스라는, 스타킹처럼 다리에 딱 달라붙는 바지를 입는다. 야해 보이면서도 가릴 것은 다 가린 셈이다. 이런 모습을 보면 인간의 이중성에 대해 생각하게 된다. 노출하고 싶은 욕구와 동시에 부끄러움을 느끼는 욕구가 충돌한 것이다. 나는 '바로 저게 인간이구나' 라는 생각을 해본다.

어떤 교회가 거룩함만 추구한다면 얼마 못 가서 반작용의 힘도 경험하게 될 것이다. 반대로 교회가 세속적 가치를 품고 불신자들도 쉽게 적응할 수 있도록 눈높이를 낮추어 접근할 경우 당장 거룩함에 대한 향수가 일어날 것이다. 그러나 교회는 치우침이나 모자람이 없는 균형 잡힌 접근을 시도해야 한다. 결국 두 가지를 다 품는 쪽으로 가야 한다.

영어에 'miss' 라는 단어가 있다. 이 말은 "실수" 라는 뜻도 가지고 있지만 동시에 "그리워하다" 라는 뜻도 있다. 한쪽의 가치를 놓치는 실수를 할 경우 동시에 그것을 그리워하는 모순이 생긴다는 말이다. 그래서 균형이 중요하다.

예수를 잘 믿는다는 것은 어떤 것인가? 그것이 하나님의 주권이냐, 인간의 책임이냐를 놓고 오랜 논쟁이 벌어졌다. 나는 이렇게 말한다.

"육(肉)으로 살되 영(靈)을 좇아 살라."

이 말을 생각해보라. 이 말이 모순인가? 이 땅에서 살 때 우리는 '육'이 전부인 것처럼 살아야 한다. 자신이 하는 사업을 생명을 다해 육성해야 한다. 개발과 연구의 성패가 오직 나에게 달린 것처럼 최선을 다해야 한다.

그렇게 혼신의 힘을 다 쏟아 붓고 난 뒤 그것이 전부가 아니라는 사실을 인정하라. 그리고 하나님의 복을 구하라. 진지하게 열심히 살되 그것이 전부가 아닌 것처럼 살라. 그것이 성도의 삶이다.

은혜에 붙들린 삶

나는 종종 족구를 한다. 지지 않으려고 최선을 다한다. 공이

다른 데로 떨어지지 않도록 몸을 던져서 공을 받아낸다. 마치 족구에 생명을 건 것처럼 그렇게 열심히 혼신의 힘을 바쳐서 족구를 한다. 그러나 그렇게 열심히 하는 사람도 안다. 족구가 인생에 전부가 아니라는 것을 너무나 잘 안다.

다시 한 번 예수 잘 믿고 잘 사는 길이 무엇이냐고 묻는다면, 나는 족구를 하면서 최선을 다하는 것이라고 말하겠다. 그러나 족구가 다가 아니라는 것을 인식하며 살아가야 한다.

세상에서 가장 재미없는 사람이 있다. 족구를 하면서 슬슬 하는 사람이다. 족구가 교회의 부흥과 무슨 관계가 있는가, 족구하면 떡이 나와 돈이 나와 하면서 빈정대는 사람이다. 나는 그 사람을 공으로 때려주고 싶다. "예끼, 이놈" 하고 욕이라도 해주고 싶다. 왜냐하면 이런 사람은 매사가 그렇기 때문이다. 뜨거운 열정도 없이 "여자가 다예요? 돈이 다예요? 공부가 다예요?"라고 빈정거리는 사람이다. 물론 그 질문에 대한 답은 "아니다"이다.

그러나 내가 직면한 이 일이 전부인 것처럼 그렇게 살아야 한다. 하나님의 은혜에 붙들린 인생이 어떤 인생인지 아는가?

바로 지금 맡겨주신 이 일을 마치고 죽을 것처럼 사는 인생이다. 또 그것이 다가 아니라 오직 하나님의 은혜로 산다고 고백하는 인생이다.

1. 마귀의 훼방을 이기려면 쓸데없는 싸움에 말려들지 말아야 한다.

• • •   마귀의 존재 목적은 성도를 선동하는 것이다. 이때 마귀 자신의 선동에 말려들게 하려면 성도가 깊이 생각하지 못하도록 만들어야 한다. 흥분할 때가 가장 속기 쉬운 상태이다. 생각 없이 흥분하는 사람을 통해서 쓸데없는 싸움이 일어난다는 것을 명심하라. 마귀가 선동하려고 할 때 이기는 길은 흥분하지 않는 것이다. 부딪혀서 이겨야만 이기는 것이 아니다. 쓸데없는 싸움을 피하는 것도 이기는 것이다.

2. 마귀의 훼방을 이기려면 반대를 용납하는 넓은 마음을 품어야 한다.

• • •   마귀를 이기려면 본질에 집중하고 반대(반대자)를 가슴으로 품어야 한다. 지나치게 감성적일 때는 반대로 이성적으로 가야 한다. 감성과 이성의 균형이 중요하다. 균형 잡힌 사람이 되기 위해서는 겸손함이 반드시 필요하다. 겸손함이란 자신이 틀릴 수 있다는 것을 인정하는 것이다. 나도 틀릴 수 있고, 상대방도 맞을 수 있다는 열린 마음을 가져야 반대편이 보이기 시작한다. 그럴 때 반대를 포용할 수 있다. 항상 좀 더 넓어지기 원한다면 반대를 따뜻하게 품어야 한다.

3. 마귀의 훼방을 이기려면 최선을 다하되 은혜를 의지하는 자세가 있어야 한다.

· · · 성도는 자신의 일을 생명을 다해서 해야 한다. 개발과 연구의 성패가 오직 자기에게 달려 있는 것처럼 최선을 다해야 한다. 그렇게 혼신의 힘을 다 쏟아 붓고 난 뒤 그것이 전부가 아니라는 사실을 인정하라. 그리고 하나님의 복을 구하라. 진지하게 살라. 그러나 그것이 전부가 아닌 것처럼 살라. 그것이 성도의 삶이다. 최선을 다하지만 내 힘으로 사는 것이 아니요 오직 하나님의 은혜로 산다고 고백하는 것이 성도이다. 그럴 때 주님 안에서 진정한 자신감이 생긴다.

영적 전투에서 **자신감**을 심어주는
하나님의 약속

시편 138:7
내가 환난 중에 다닐지라도 주께서 나를 소성케 하시고
주의 손을 펴사 내 원수들의 노를 막으시며 주의 오른손이 나를 구원하시리이다

이사야서 41:10
두려워 말라 내가 너와 함께함이니라 놀라지 말라
나는 네 하나님이 됨이니라 내가 너를 굳세게 하리라
참으로 너를 도와주리라 참으로 나의 의로운 오른손으로 너를 붙들리라

로마서 8:38,39
내가 확신하노니 사망이나 생명이나 천사들이나
권세자들이나 현재 일이나 장래 일이나 능력이나 높음이나 깊음이나
다른 아무 피조물이라도 우리를 우리 주 그리스도 예수 안에 있는
하나님의 사랑에서 끊을 수 없으리라

Confidence

원함으로 살지 말고
필요로 살라

세상을 '원하는' 대로 살지 말라. 원하는 것은 끝이 없다.
'필요' 대로 살면 모든 사람이 풍족하고 행복하게 살 수 있다.
필요는 크지 않기 때문이다.
욕심을 따라 살지 말고 필요를 따라 살라.

* * * * * *

전천후 생명

진정한 생명의 특징은 전천후라는 점이다. 상황에 관계없이 자신감을 갖는 것, 항상 기쁨을 유지하는 것이다. 바울은 에베소에서 큰 소요 사태를 경험한다. 서기장이 중재에 나서서 간신히 위기를 모면했는데 사도행전 20장에는 더 만만치 않은 위기가 다가오고 있었다. 헬라에서 배 타고 수리아로 가려고 할 때 유대인들의 공모 소식이 들려왔다.

"거기 석 달을 있다가 배 타고 수리아로 가고자 할 그 때에 유대인들이 자기를 해하려고 공모하므로 마게도냐로 다녀 돌아가기를 작정하니"(행 20:3).

에베소의 소요는 우발적이었다. 그런데 헬라에서의 위협은 조직적이고 체계적이었다. 그 당시 유대인들은 지금의 하마스나 헤즈볼라와 같이 신념으로 무장한 사람들이었다. 바울을 죽이는 것이 그들의 신앙을 표현하는 방도였다. 양심의 가책도 전혀 없이 사명감으로 바울을 죽일 수 있는 사람들이었다. 이때의 공포와 긴장과 위기감이 얼마나 대단했을지 상상해보라.

그런데 이상한 것은 바울의 태도이다. 바울은 이런 상황에서도 전혀 흔들리지 않았다. 위협에 대해 두려움도 느끼지 않았다. 그에게는 자신감에 찬 평온함이 있다. 왜 그런가? 일촉즉발의 위기 상황을 만나도 이런 일상의 승리를 맛볼 수 있는 길은 과연 어디에 있는가?

하나님의 말씀으로 생명이 공급되기 때문이다. 이것은 신앙인이라면 누구나 상식적으로 생각할 수 있는 요소이다. 환경을 이기는 힘은 생명에 있다. 그런데 하나님의 말씀으로 공급되는 힘이 그 생명을 견고히 붙든다. 바울 역시 하나님께 그 뿌리를 둔 사람이다. 그래서 그는 꺾이지 않았다.

생명의 교류

생명이 환경에 의해 100퍼센트 완전히 지배되는 것은 아니다. 사람은 환경에 영향을 받고 동시에 환경에 영향을 준다. 그러나 생명의 영향력은 한 방향으로만 이루어지지 않는다. 생명은 교류하게 되어 있다. 생명이 있으면 그 영향력은 어느 한쪽으로 일방적으로 행사되지 않는다. 내 안에 받아들이기도 하고, 내 안에서 반응하고, 나를 통해 달라져서 흘러가기도 한다. 따라서 생명과 만난다는 것은 감격이다.

이렇듯 생명과 교류하면 항상 훨씬 더 좋은 것이 나온다. 생명은 주체이기 때문이다. 표절이 나쁜 이유가 무엇인가? 바로 생명의 주체가 아니기 때문이다. 외부의 영향을 전혀 받지 않는 사람은 없다. 그렇지만 그것이 그 사람 안에서 무르익어서 좀 더 나은 것, 좀 더 다른 것이 나와야 마땅하다. 문제는 들어간 그대로 기계적으로 나온다는 것이다. 그것은 마치 나는 생명의 주체가 아니라고 선언하는 것과 같다.

그러나 완전히 소화되고 적절한 반응이 수반되면 그것을 표절이라고 부를 수 없다. 생명의 반응을 보였기 때문이다. 누에

가 뽕잎을 먹고 다시 뽕잎을 싸는가? 그렇지 않다. 누에는 뽕잎을 먹는다. 그리고 실크를 뽑아낸다. 왜냐하면 생명이기 때문이다.

반대로 죽음이 무엇인가? 아무런 영향도 주고받을 수 없게 되는 것, 교류가 없는 것이다. 시체의 온도는 그 방의 온도와 같다. 방안이 10도면 시체도 10도이다. 방안이 20도면 시체도 20도이다. 죽어서 생명이 없어지면 환경에 100퍼센트 영향을 받는다.

그러나 생명이 있는 사람의 체온은 거의 36.5도를 유지한다. 춥거나 더워도 항상 그 온도를 유지하려는 투쟁이 내부에서 일어난다. 추우면 옷을 더 껴입으려고 하고 더우면 부채질로 땀을 식혀서라도 체온을 유지하려고 하는 것이다. 그 처절한 싸움이 있다는 것은 살아 있다는 증거이다. 생명은 투쟁한다. 그러나 죽음은 투쟁이 없다. 영적 생명이 있는 사람에게는 마귀와의 싸움이 있다. 그러나 죽은 사람에게는 싸움 자체가 존재하지 않는다.

생명은 춥고 더운 것을 느낀다. 환경의 영향을 받기는 하지만 환경이 생명을 100퍼센트 지배하지는 못한다. 세상 속의 성도도 마찬가지이다. 그리스도인은 세상에서 살면서 세상의 영향을 받는다. 그러나 성도 안에 세상이 들어와 있어서는 안 된다. 성도는 세상과 접하여 산다. 그러나 세상이 그 안에 들어오면 성도는 침몰하고 만다. 배가 물 위에 떠 있기는 해도 물이 배 안으로 들어오면 배가 침몰하는 것과 같은 이치이다. 세상이 내 안에 들어오면 안 된다. 세상이 나를 지배하게 해서는 안 된다.

이스라엘은 출애굽을 했다. 그런데 몸은 애굽을 빠져나왔지만 그들의 마음에는 여전히 애굽이 존재했다. 이것을 '세속화'라고 한다. 생명에도 꺼져가는 생명과 왕성한 생명이 있다. 병상에 누운 채 스러져가는 생명이 있는가 하면 한강변에서 왕성하게 자전거를 타는 생명도 있다. 이 생명이 같을 수는 없다. 왕성한 생명으로 일어서라. 말씀과 기도는 우리의 생명을 충만케 한다. 어떤 외적 도전에도 활력을 잃지 않는 생명을 누려라.

공동체의 복

위기 속에서도 초연할 수 있었던 것은 바울 안에 이 생명이 있었기 때문이다. 그러나 그 이유보다 더 특별한 이유가 있었다. 바울에게는 좋은 동역자와 공동체가 있었다. 그래서 어떤 위협과 고난에도 의연할 수 있었던 것이다. 바울은 이 모든 길을 홀로 가지 않았다. 좋은 동역자들과 함께 갔다.

"아시아까지 함께 가는 자는 베뢰아 사람 부로의 아들 소바더와 데살로니가 사람 아리스다고와 세군도와 더베 사람 가이오와 및 디모데와 아시아 사람 두기고와 드로비모라"(행 20:4).

여기 나오는 소바더, 아리스다고, 세군도, 가이오, 두기고, 드로비모는 바울이 거둔 삶의 열매들이다. 지금 동행하는 사람들이 곧 나의 삶의 열매들이다. 바울과 고난을 함께 나누겠다는 사람들이 이렇게 많았다. 그래서 바울은 외롭지 않고 힘들지 않았다. 이쯤 되면 고난도 낭만이 된다.

기독교는 홀로 도(道)를 닦는 종교가 아니다. 반드시 공동체가 존재하며 나눔이 있다. 하나님이 보시는 최상의 아름다움은 성도의 동거함이다.

"형제가 연합하여 동거함이 어찌 그리 선하고 아름다운고

머리에 있는 보배로운 기름이 수염 곧 아론의 수염에 흘러서 그 옷깃까지 내림 같고 헐몬의 이슬이 시온의 산들에 내림 같도다 거기서 여호와께서 복을 명하셨나니 곧 영생이로다"(시 133:1-3).

공동체에 복이 있다. 공동체에 영생이 있다. 아무리 좋은 것도 공동체가 없으면 드러날 수 없다. 아무리 내 안에 믿음이 있다고 말해도 고난의 상황 속에서 믿음으로 반응하지 않는다면, 그 믿음이 어떻게 진짜 믿음이겠는가? 내 안에 사랑이 있다고 말해도 공동체 속에서 그 사랑이 드러나지 않으면 그 사랑을 어떻게 증명할 수 있겠는가? 하나님께서는 우리 안에 생명의 가치를 감춰두셨다. 공동체를 통해서 그것을 표현하고 담아두도록 하신 것이다.

귀명창이 있어야 소리명창이 있다

아주 훌륭한 피아니스트가 있다고 하자. 그러나 탁월한 피아니스트란 혼자서 되는 것이 아니다. 그 연주를 듣고 기뻐할 관객이 있어야 한다. 대개 음악가들이 국내에 있을 때는 두각을 나타내지 못하다가 외국에 나가서 두각을 나타내는 경우가 많다. 왜 그런가? 다른 이유도 있겠지만 그 음악을 들어줄 만한 수준 있는 관객이 없었기 때문이다.

동생이 음악을 하기 때문에 나도 종종 음악회에 초대되곤 한다. 그런데 나를 비롯한 대부분의 관객이 동원된 사람들이다. 음악을 제대로 즐기지 못하고 심지어 졸다가 오는 사람도 많다. 아무리 봐도 음악을 제대로 이해하고, 그 음악에 반응을 보일 만한 사람들은 아니었다. 판소리판에서 회자(膾炙)되는 말이 있다. 그것은 "귀명창이 있어야 소리명창이 있다"라는 것이다. 탁월함이란 가수나 연주자 개인에게만 해당되는 것이 아니라 그 음악을 향유할 수 있을 만한 공동체가 있어야 담보된다는 것을 명심하라.

설교도 마찬가지이다. 설교의 대가(大家) 마틴 로이드존스 목사의 강해는 장구한 설교로, 그것도 매우 자세하기로 유명하다. 농담 같은 일화를 소개해보겠다. 그 교회에서 선교사를 파송했다. 파송 당시 로이드존스 목사는 에베소서 3장 1절을 강해하고 있었다. 그런데 4년의 임기를 마치고 돌아와보니 에베소서 3장 6절을 강해하고 있더라는 것이다. 그 에베소서강해가 상당한 두께의 책으로 8권 나왔고, 로마서강해는 무려 14권이나 된다.

나는 이런 설교를 하신 분도 대단하지만 그 교회의 교인들도 대단하다고 생각한다. 교회의 교인들이 그 설교를 담아낼 수 있는 그릇이 되어주었기에 위대한 강해설교가 가능했던 것이다. 교회는 가치를 담아두는 그릇이다. 편지의 수신자로 교회와 교인이 없었다면 바울의 서신서가 어떻게 기록되었겠는가? 예수님은 이 땅에서 단 한 권의 책도 쓰지 않으셨다. 그러나 12명의 제자를 키워냈다. 예수님의 생명의 가치는 그의 제자들 안에 담겼다. 그 제자 공동체가 예수님의 가치를 담는 그릇이 되었다는 말이다.

신앙 공동체의 특성

공동체가 없이는 가치를 담을 수도, 전달할 수도 없다. 공동체는 너무나 중요하다. 그러면 믿음의 공동체의 특징은 무엇인가? 믿음의 공동체인 교회의 특징은 무엇인가?

첫째, 불필요한 욕심이 아니라 진정한 필요에 집중한다

초대교회의 특징을 살펴보라. 한 가지 단어가 반복된다는 것을 깨달았는가? 그 단어는 바로 '필요'이다.

"또 재산과 소유를 팔아 각 사람의 '필요'를 따라 나눠주고"(행 2:45).

"사도들의 발 앞에 두매 저희가 각 사람의 '필요'를 따라 나눠줌이러라"(행 4:35).

믿음의 공동체인 교회는 필요에 민감한 모임이었다. 필요를 추구하면 생명이 충만해진다. 반면에 욕망하는 것을 추구하면 죽음에 이르게 된다. 그러면 도대체 필요란 무엇인가? 나는 설교를 준비할 때, 펜으로 직접 원고를 작성하기를 좋아한다. 영감은 펜 끝에서 나오지 컴퓨터 자판에서 나오지 않는 것 같다. 그래서 종이에 펜으로 쓴 원고를 이후 컴퓨터로 정리하고 있다.

그러면 내가 설교를 준비하면서 필요로 하는 펜은 몇 개일까? 하나면 된다. 혹시 볼펜과 만년필을 같이 쓴다고 해도 두 개면 충분하다. 이것이 필요이다. 필요는 결코 많은 것이 아니다. 반면에 내가 원하는 펜은 얼마나 되는가? 펜에 관심이 많은 사람이라면 갖가지 펜을 그 종류대로 다 구비하기 원할 것이다. 전통적인 '몽블랑' (Montblanc)도 갖고 싶고, 날렵한 '코로스' (Cross)도 갖고 싶고, 유럽적인 풍취가 있는 '워터맨' (Waterman)도 갖고 싶을 것이다. 원하는 대로 가질 수 있다면 그 욕심이야 10개, 20개로도 다 채울 수 없다. 원하는 대로 취한다면 사치와 허영에 빠져서 들뜰 수밖에 없고 결국 초점을 잃게 된다.

여성은 보통 가방을 좋아한다. 평소 가방이 몇 개나 필요한지 생각해본 일이 있는가? 큰 가방, 작은 가방 합해서 두 개 정도면 필요는 거의 채웠다고 볼 수 있다. 그러나 욕심을 부리자면 어느 정도일지 상상하기조차 어렵다. 나는 루이뷔통이라는 명품으로 가방만 30개를 가지고 있다는 여성도 알고 있다. 그런데도 신제품이 나오면 다시 새것을 원하는 것이 한없는 욕심을 가진 인간의 모습이다. 이렇게 우리의 욕심과 욕망은 끝이 없다.

결혼하지 않은 미혼의 남녀에게 필요한 이성(異性)은 몇 명인가? 단 한 명이다. 하나님이 짝 지어주신 한 명의 배우자만 있으면 충분하다. 그러나 원하는 대로 하라면 이야기는 달라진다. 그래도 이 세상 모든 남자, 모든 여자가 오직 한 사람만 바라겠는가? 이 세상에서 자신이 원하는 대로 이성을 취하는 사람을 가리켜서 우리는 바람둥이, 카사노바, 꽃뱀이라고 부른다.

만족의 법칙

필요에 따라 사는 사람이 경건한 하나님의 사람이라는 것을 기억하라. 세상을 원하는 대로 살지 말라. 원하는 것은 끝이 없다. 필요한 대로 살면 모든 사람이 풍족하고 행복하게 살 수 있다. 필요는 결코 많지 않기 때문이다.

"우리가 먹을 것과 입을 것이 있은즉 족한 줄로 알 것이니라"(딤전 6:8)라는 말씀이 있다. 이 말을 오늘의 말로 풀어서 설명하자면, '원하는 대로 살지 말고 필요에 따라서 살자'는 말이 된다. 필요한 대로 살면 만족하지만 원하는 대로 살면 언제나 만족스럽지 못한 삶을 살게 된다.

'만족'을 등식화해보자. 분모에 원하는 만큼, 분자에 채울 수 있을 만큼 표시해보자.

만족 = 채움/원함

아무리 많이 채워도 우리가 만족하지 못하는 이유가 무엇인가? 분모가 우리가 원하는 것이기 때문이다. 원하는 것은 끝이 없다. 원함은 무한대이다. 분모가 무한대인데 분자가 무엇이든지 어떻게 나눌 수 있겠는가?

그런데도 많은 사람들이 분자를 관리한다. 더 많이 채우겠다고 매진한다. 그러나 우리의 관리 대상은 분모로 바뀌어야 한다. 원하는 것을 필요로 바꾸지 않는 한 우리에게는 결코 만족함이 찾아오지 않을 것이다. 분모가 최소의 필요로 상수화되면, 지극히 작은 것으로도 만족하는 인생을 살 수 있다.

만족 = 채움/필요

어찌 보면 세상이 발전한다는 것은 원하는 것이 늘어간다는 의미인 것 같다. 옛날에는 다이얼 비누 하나로 머리부터 발끝까지 깨끗이 씻었고 또 만족하며 살았다. 나에게는 아직까지 노란 미제 다이얼 비누에 대한 환상이 있다. 향기 좋고 세정력도 좋은 비누였는데 지금은 어떤가? 머리카락을 관리하는 데 들어가는 제품만 따져도 샴푸, 컨디셔너, 무스, 염색약, 웨이브파마, 스트레이트파마, 발모제에 제모제까지 10여 가지 이상 되는 것 같다. 아찔하다. 필요한 대로 살면 비누 하나면 된다. 하지만 원하는 대로 살면 만족함은 없다.

나는 대머리이다. 얼굴과 머리카락의 경계가 애매하다. 나는 세수하면서 머리도 감는다. 그래서 항상 만족하며 살아간다.

애굽에 있을 때 이스라엘은 애굽에서 탈출하기 원했다. 그런데 출애굽하고 난 뒤 마실 물이 없자 금세 원망을 쏟아냈다. 하나님께서 마실 물을 주시자 이번에는 먹을 것이 없다고 불평했다. 하늘 양식인 만나로 배를 채우게 되자 이번에는 같은 것만 먹기 지겹다고 고기를 달라고 원망했다. 그러자 하나님께서 메추라기를 주어 배불리 먹이셨다. 하나님의 설득과 권면에도 불구하고 이스라엘 백성들은 그들이 원하는 것만 계속 추구했다.

구하는 대로 주시는 심판

하나님께서 원하는 것을 주실 때 거기에 심판의 성격이 있다는 것을 명심하라. 하나님은 자신의 백성이 지나치게 매달리며 구하면 구하는 것을 주신다. 매달리는 자식에게 달라는 것을 허락하는 아비의 심정과 같다. 그렇지만 얻었다고 해서 전부 좋은 것이라고 생각해서는 안 된다. 그것이 심판이다.

이스라엘 백성들이 고기를 원하자 하나님께서 고기를 주셨다. 하루 이틀이 아니라 한 달간 줄곧 고기만 먹게 하셨다.

"하루나 이틀이나 닷새나 열흘이나 이십 일만 먹을 뿐 아니라 코에서 넘쳐서 싫어하기까지 일 개월 간을 먹게 하시리니 이는 너희가 너희 중에 거하시는 여호와를 멸시하고 그 앞에서 울며 이르기를 우리가 어찌하여 애굽에서 나왔던고 함이라 하라"(민 11:19,20).

한 달 전에 이스라엘 백성들은 고기를 먹기 원했다. 그러나 한 달이 지나자 이스라엘 백성들이 혐오하는 것 역시 고기가 되었다. 그토록 원하던 것이 경멸의 대상으로 바뀐 것이다.

성경은 믿지 않는 자와 멍에를 같이하지 말라고 말한다. 그러니까 불신자와 결혼하지 말라는 말이다. 그런데도 불신자와 결혼하기 원한다면, 그토록 간절히 원할 경우에 하나님은 그 소원을 들어주신다. 그러나 그것이 심판이다. 불신자와 결혼한 사람을 결혼한 지 1,2년 후에 만나보면 대개 표정이 좋지 않다. 이야기를 들어보면, 자신이 불행한 원인이 대부분 그 불신 배우자에게 있음을 토로한다. 그 '웬수' 때문에 자기 인생이 망했다고 울분을 토한다. 그렇게 원했던 배우자가 지금은 불행의 원인 제공자로 바뀐 것이다.

삼십이 훨씬 넘은 나이에 유학을 가겠다는 사람이 있으면 나는 일단 말린다. 그런데도 자기 주장을 굽히지 않으면 어쩌겠는가? 보낸다. 그런데 그 자체가 심판이다. 그 일로 인생을 꽃피워보지도 못하고 죽도록 고생하다가 말 가능성이 높다. 중요한 시기에 하나님이 주시는 권면의 말씀을 무시하지 말라. 하나님은 말씀으로 인도하신다. 그러나 그래도 말을 듣지 않으면 원하는 것을 주신다. 그렇지만 그것으로 망하게 된다.

이스라엘 백성도 왕을 달라고 하나님께 졸랐다. 옳지 않은 일이라는 하나님의 권면을 무시하고 고집을 부리자 하나님은 이를 허락하셨다. 그래서 이스라엘 백성들이 얻은 첫 번째 왕이 사울 왕이다. 그러나 결과적으로 사울 왕 때문에 얼마나 많은 고통을 맛보았는가? 원해서 얻는 것 자체가 심판이 될 수 있다는 것을 잊지 말라.

우리는 미래를 모른다. 나도 무엇이 좋은지 모른다. 오직 하나님이 자신의 기쁘신 뜻을 따라 주시는 것이 가장 좋은 것이다. 따라서 우리가 드릴 수 있는 최상의 기도는 이것이다.

"내 원대로 마옵시고 아버지의 원대로 되기를 원하나이다"(눅 22:42).

하나님의 뜻을 구하는 인생이 곧 필요를 따라 사는 인생이다.

둘째, 내려가는 것을 두려워하지 않는다

인생에는 오르막이 있으면 내리막이 있고, 올라갈 때가 있으면 내려갈 때도 있는 법이다. 그것을 인정하는 것이 믿음 있는 성도의 자세이다. 하나님도 우리가 걷는 인생의 길을 그렇게 만드셨다. 그러나 세상의 메시지는 항상 올라갈 수 있다고 유혹한다. 공부 잘하면 더 올라갈 수 있다, 예쁘게 치장하면 언제나 더 올라갈 수 있다, 줄을 잘 서면 좀 더 올라갈 수 있을 거라는 식의 가짜 비전을 제시한다. 많은 사람들이 이 가짜 비전에 속아서 혈안이 되어 모여든다.

믿음은 생명이다. 그래서 생명으로 무장한 사람은 내려가는 것도 두려워하지 않는다. 생명의 약속을 품은 성도는 멋지게 내려간다. 내려가는 것을 전혀 두려워하지 않는다.

"내가 사망의 음침한 골짜기로 다닐지라도 해를 두려워하지 않을 것은 주께서 나와 함께하심이라 주의 지팡이와 막대기가 나를 안위하시나이다"(시 23:4).

오히려 멋지게 내려간다. 하나님의 아들이신 예수님도 멋지게 내려가셨다.

"너희 안에 이 마음을 품으라 곧 그리스도 예수의 마음이니 그는 근본 하나님의 본체시나 하나님과 동등됨을 취할 것으로 여기지 아니하시고 오히려 자기를 비어 종의 형체를 가져 사람들과 같이 되었고 사람의 모양으로 나타나셨으매 자기를 낮추시고 죽기까지 복종하셨으니 곧 십자가에 죽으심이라"(빌 2:5-8).

세상 사람들은 내려가면 죽는 줄 안다. 그러나 그렇지 않다. 얼마든지 내려가라. 그래도 넘어지지 않는다. 왜냐하면 주께서 지켜주시기 때문이다.

나도 이제 40대 중반에 이르렀다. 그래서 사실 아들뻘 되는 대학생들과 희희낙락하기가 쉽지는 않다. 친구들도 왜 그러고 사느냐고 이상하게 쳐다볼 때가 있다. 그렇지만 나는 어린 학생들과 어울리면서 스스로 망가졌다가도 다시 생명으로 무장하고 서면 능력의 말씀을 증거할 수 있다는 사실을 분명히 알고 있다. 주께서 함께해주시면, 껍데기 같은 권위가 없어도 사역을 잘 감당할 수 있다는 것을 깨닫는다. 목사연하지 않아도 된다. 힘주고 다닐 필요가 없다. 정장만 고집하지 않아도 된다. 무엇이 두려운가? 내려가더라도 생명을 품고 자신 있게 내려가는 인생을 살라.

"이에 예수께서 제자들에게 이르시되 아무든지 나를 따라오려거든 자기를 부인하고 자기 십자가를 지고 나를 좇을 것이니라"(마 16:24).

《내려놓음》이라는 귀한 책을 쓴 이용규 선교사님은 서울대

와 하버드를 나온 준비된 일꾼이다. 하버드에서는 중동 지역
학 및 역사학으로 박사 학위를 받았다. 이 선교사님의 전공이
라면 요즘처럼 중동에 관심이 고조되어 있을 때 부르고 찾는
곳이 많을 것이다. 그런데도 이용규 선교사님은 마치 헨리 나
우웬처럼 모든 것을 내려놓고 몽골의 선교사로 떠났다. 그 책
에는 몽골에 관한 이야기가 많이 나온다. 그중 특히 내 마음에
남았던 부분이 있어서 소개한다.

"강은 낮은 곳을 향해 가며 평원의 파인 곳 사이를 누비면서
흘러간다. 강기슭에는 항상 푸르름이 있다. 강 주변에는 풀과
나무가 자라며 동물들이 서식하고 있다. 강이 돌아가면 갈수
록 초원의 더 많은 지역이 푸르러진다. 돌아가면 갈수록 강을
통해 축복의 지역이 더 넓어지는 것이다. 하나님과 동행하는
삶은 초원의 강이 가는 길과 비슷하다."

강은 낮은 곳으로 흐르고 그 주변은 푸름으로 가득 차고 생
명으로 가득 차 있다는 말이 아직까지 나의 뇌리를 스친다. 낮
아져야 푸르게 된다. 낮아지는 것을 두려워하지 말라. 버리는
것을 두려워하지 말라. 가장 좋은 것을 붙들기 위해서 우리는

내려놓아야 한다. 믿음의 공동체는 내려놓는 것을 두려워하지 않는 강력한 공동체이다.

공동체 사랑의 능력

뉴 호프 커뮤니티교회의 데일 갤러웨이 목사의 글 중에 이런 이야기가 있다. 그 교회에 있었던 여교사 톰슨과 테디 스톨라드의 이야기이다. 테디는 항상 왕따를 당하는 아이였다. 멍한 얼굴에 가까이 가면 심한 냄새도 났다. 그러다보니 아무도 그 아이 옆으로 가려고 하지 않았다. 시험을 보면 채점할 것도 없이 죄다 틀리는 아이였다.

어느 날 톰슨 선생님은 테디의 시험지를 채점하다가 조금 이상한 생각이 들었다. 그래서 테디의 생활기록부를 찾아보았다. 테디가 초등학교 5학년이니까 지난 4년의 평가 기록을 찾아볼 수 있었다. 1학년 당시 기록은 이렇다.

"착한 아이입니다. 미래가 보입니다. 그러나 가정환경이 불우한 편입니다."

2학년 때 기록은 이렇다.

"조용한 아이입니다. 조금 폐쇄적입니다. 어머니가 불치의 병을 앓고 계십니다."

3학년 때의 기록은 이렇다.

"학업 성취도가 떨어집니다. 금년에 어머니가 돌아가셨습니다. 아버지는 아이에 대해서 무관심합니다."

4학년 테디에 대한 기록이다.

"미래가 없습니다. 아버지는 가출했고 현재 이모님이 양육하고 있습니다. 학대당하고 있는 것 같습니다."

여기까지 읽은 톰슨 선생님의 눈에서 눈물이 흘러내렸다. 마치 한 생명이 자신을 비롯한 교육자들의 방관과 유기로 파괴되어가는 과정을 보는 듯해서 너무나 가슴이 아팠기 때문이다. 톰슨 선생님은 테디에게 교사로서 사명감을 느꼈다. 그때부터 톰슨 선생님은 방과 후 개인적으로 테디의 공부를 도와주었다.

한 해를 마무리하는 성탄절이 되었다. 미국에서는 성탄절에 아이들이 선생님께 선물을 하는 모양이다. 모든 아이들이 보는 앞에서 선생님은 일일이 그 선물을 풀어보았다. 그러다가 테디 차례가 되어 테디의 선물을 열었더니, 그 안에는 가짜 다

이아몬드 목걸이와 손때가 묻을 대로 묻은 쓰다 만 싸구려 향수가 들어 있었다. 가짜 목걸이는 알까지 여러 개 떨어져 나간 형편없는 상태였고, 향수는 거의 비어 있었다. 아이들은 테디의 선물을 보고 박장대소했다. 평소 멍청하던 테디가 형편없는 선물까지 했다면서 조롱하기에 바빴다.

그때 톰슨 선생님은 많은 아이들이 보는 앞에서 그 목걸이를 직접 목에 걸면서 이렇게 말했다.

"예쁘지 않니? 나는 이런 목걸이가 제일 좋더라."

그리고 향수를 뿌리면서 다시 말했다.

"나는 이 향수를 가장 좋아해. 테디, 고마워. 최고의 성탄절 선물이야."

아이들의 얼굴에서 어느새 비웃음이 사라졌다. 테디는 톰슨 선생님의 품에 안기며 말했다.

"선생님, 고맙습니다. 그 목걸이는 생전에 엄마가 하시던 목걸이에요. 향수도 엄마가 뿌리던 향수예요. 그 향수를 뿌려주셔서 감사합니다. 선생님한테 엄마 냄새가 나서 좋아요."

그리고 그 일을 잊었다. 6,7년이 흐른 뒤 톰슨 선생님 앞으

로 한 통의 편지가 배달되었다. 고등학교를 졸업하는 테디에
게서 온 편지였다.

"사랑하는 톰슨 선생님, 고등학교 졸업 소식을 선생님께 가
장 먼저 알리고 싶었어요. 저, 반에서 2등으로 졸업했습니다."

다시 4년 뒤 또 한 통의 편지가 왔다.

"사랑하는 톰슨 선생님, 저 과(科) 수석으로 대학 졸업했습
니다."

다시 4년 뒤 또 편지가 왔다.

"사랑하는 톰슨 선생님, 제가 의대를 졸업하고 의사가 되었
습니다. 멋지죠? 그리고 이제 결혼합니다. 제 어머니가 일찍
돌아가신 것은 아시죠? 결혼식 때 선생님께서 제 어머니 자리
에 앉아주세요. 선생님은 저에게 어머니이십니다."

믿음의 공동체 안에는 사랑의 감격이 있어야 한다. 사랑은
죽음도 두려워하지 않고, 깨진 영혼도 살려내는 능력이 있다.
교회에서 이런 감격스러운 장면을 보기 원한다.

1. 믿음의 공동체는 거룩한 가치를 담아두는 그릇이다.

• • •   하나님께서는 믿음의 공동체(교회)를 통해서 생명의 가치, 거룩한 가치를 표현하고 담아두도록 하셨다. 교회는 이렇게 가치를 담아두는 그릇이다. 편지의 수신자로 교회와 교인이 없었다면 바울의 서신서가 어떻게 기록되었겠는가? 예수님은 이 땅에서 단 한 권의 책도 쓰지 않으셨다. 그러나 12명의 제자를 키우셨다. 그 제자 공동체가 예수님의 가치를 담는 그릇이 되었다. 믿음의 공동체가 없이는 거룩한 가치를 담을 수도, 전달할 수도 없다.

2. 믿음의 공동체는 불필요한 욕심이 아니라 진정한 필요에 집중한다.

• • •   믿음의 공동체는 그 출발부터 필요에 민감한 모임이었다(행 2:45 참조). 필요를 추구하면 생명이 충만해진다. 욕망을 추구하면 죽음에 이르게 된다. 사람이 원하는 대로 취한다면 허영에 빠져서 들뜰 수밖에 없고 결국 초점을 잃게 된다. 세상을 '원하는' 대로 살지 말라. 원하는 것은 끝이 없다. '필요' 대로 살면 모든 사람이 풍족하고 행복하게 살 수 있다. 필요는 크지 않기 때문이다. 욕심을 따라 살지 말고 필요를 따라 살라.

3. 믿음의 공동체는 내려가는 것을 두려워하지 않는다.

• • •   인생에는 오르막길이 있으면 내리막길이 있는 법이다. 올라갈 때가 있으면 내려갈 때가 있다. 이것을 인정하는 것이 믿음 있는 성도의 자세이다. 하나님도 우리가 걷는 인생길을 그렇게 만드셨다. 그러나 세상의 메시지는 항상 올라갈 수 있다고 가짜 비전으로 유혹한다. 이 가짜 비전에 속지 말라. 믿음은 생명이다. 그래서 생명으로 무장한 사람은 내려가는 것을 두려워하지 않는다. 세상 사람들은 내려가면 죽는 줄 안다. 그러나 성도는 그렇지 않다. 얼마든지 내려가라. 그래도 넘어지지 않는다. 왜냐하면 하나님께서 지켜주시기 때문이다.

인생의 내리막길에서도 **자신감**을 심어주는
하나님의 약속

시편 23:4,5
내가 사망의 음침한 골짜기로 다닐지라도 해를 두려워하지 않을 것은
주께서 나와 함께하심이라 주의 지팡이와 막대기가 나를 안위하시나이다
주께서 내 원수의 목전에서 내게 상을 베푸시고 기름으로 내 머리에 바르셨으니
내 잔이 넘치나이다

요한복음 16:33
이것을 너희에게 이름은 너희로 내 안에서 평안을 누리게 하려 함이라
세상에서는 너희가 환난을 당하나 담대하라 내가 세상을 이기었노라 하시니라

고린도전서 10:13
사람이 감당할 시험밖에는 너희에게 당한 것이 없나니
오직 하나님은 미쁘사 너희가 감당치 못할 시험 당함을 허락지 아니하시고
시험 당할 즈음에 또한 피할 길을 내사 너희로 능히 감당하게 하시느니라

Confidence

Chapter 6

매복의 힘은 강력하다

매복된 5천 명은 5만 명보다 더 강할 수 있다. 힘은 숨겨야 한다.
매복은 적을 교만하게 만들고 자신은 겸손하게 만든다.
자신의 능력을 다 내보이지 말라. 매복하는 인생을 살라.
보이지 않는 숨은 힘이 있어야 한다.

· · · · · · ·

넘어지더라도 일어서면 된다

"실패하지 않는 사람은 없다. 나도 종종 실패한다. 다만 실패할 때마다 일어섰을 뿐이다."

'부도옹'(不倒翁)이라고 하는 한라그룹 고(故) 정인영 회장의 말이다. 사람들은 넘어진다. 하지만 넘어지더라도 일어서면 된다.

많은 사람들이 여리고 성의 승리에 관심이 많다. 왜 그런가? 통쾌하기 때문이다. 아무 무기도 없이 하나님의 도우심으로 승리했기 때문이다. 매일 한 바퀴씩 6일간 여리고 성을 돌고, 마지막 7일에 일곱 번 돌고 소리치자 여리고 성이 무너졌다.

통쾌하고 기적적인 일이다.

그러나 일상의 삶에서 자주 볼 수 있는 장면은 결코 아니다. 우리는 평소 자주 실패한다. 우리가 일상에서 자주 접하는 모습은 실패하고 난 뒤 다시 일어나서 승리하는 아이 성의 싸움이다. 그래서 나는 여리고 전투보다 아이 성의 싸움에 더 관심이 많다. 실패할 수 있다. 그러나 또다시 일어나서 승리할 수 있다.

20전 전승이라는 화려한 기록의 권투선수가 있다고 하자. 그것도 상대 선수를 모두 케이오시켜서 이겼다면 나는 그 선수를 그다지 신뢰할 수 없을 것 같다. 왜냐하면 한 번 지기라도 하면 곧바로 은퇴할 가능성이 높기 때문이다. 반면에 승패 전적이 이에 못 미치는 선수도 있을 것이다. 20전 14승 1무 3패, 거기에 2번 몰수패까지 당해보았다면 모르기는 해도 그 선수의 생명력은 길 것이다. 아마 은퇴할 때까지 뛸 선수이다. 왜냐하면 그는 실패해도 일어서는 법을 아는 선수이기 때문이다. 넘어졌다가 일어서본 경험이 있는 사람은 자신 있는 인생을 산다.

자신감 있는 신앙의 원동력

신앙은 생활의 현장에서 살아가는 것이다. 실패가 있고 고난이 있는 곳에서 실제로 사는 것이다. 우리는 살아가는 이야기를 더 많이 해야 한다. 살지 않으니까 신앙이 불타지 못하는 것이다. 살지 않으니까 신앙의 야성을 다 잃어버리는 것이다.

마이클 잭슨의 '문 워킹'(moon walking)이라는 춤이 있었다. 분명히 걷는 것 같은데 제자리인 게 신기해서 유심히 쳐다보곤 했다. 나는 마이클 잭슨의 춤을 보면서 지금의 성도들의 모습이 떠올랐다. 걷기는 걷는데 항상 제자리이다. 어찌된 일인가? 신앙에는 전진이 있어야 한다. 그런데 항상 제자리이다. 안타까운 일이다.

나는 운동을 해도 러닝머신 위에서 뛰는 것을 싫어한다. 운동은 될지 모르겠지만 정신 건강상 좋지 않다고 생각하기 때문이다. 아무리 뛰어도 제자리라는 것은 좋지 않은 메시지이다. 좋지 않은 체험이다. 걸으면 앞으로 나가야 한다. 실패는 딛고 일어서야 한다. 신앙은 사는 것이다. 7번 넘어져도 8번 일어나는 칠전팔기(七顚八起)의 신앙을 가져야 한다.

넘어져도 다시 일어나는 자신감 있는 신앙의 원동력이 되는 것은 무엇인가?

첫째, 복원의 능력이다

이스라엘은 아이 성에서 잠시 넘어졌다. 그래도 말씀의 공급은 중단되지 않았다. 여전히 말씀의 공급이 유지되고 있었다. 그래서 다시 일어설 수 있었다. 하나님의 말씀을 품고 일어나는 것이 복원의 능력이다.

"저는 시냇가에 심은 나무가 시절을 좇아 과실을 맺으며 그 잎사귀가 마르지 아니함 같으니 그 행사가 다 형통하리로다" (시 1:3).

공급이 있는 인생은 넘어져도 다시 일어선다. 아이 성의 실패 이후에 하나님이 여호수아에게 말씀하신다.

"여호와께서 여호수아에게 이르시되 두려워 말라 놀라지 말라 군사를 다 거느리고 일어나 아이로 올라가라" (수 8:1).

이스라엘에게는 언제나 말씀을 들을 수 있는 통로가 있었다. 사울과 다윗의 결정적인 차이는 무엇인가? 다윗은 범죄를 하든 안 하든 언제나 그의 주변에 선지자가 있었다. 사무엘, 나단, 갓 등의 선지자가 항상 다윗 곁에서 말해주었다. 그래서 넘어져도 다시 일어날 수 있었던 것이다. 반면에 사울에게는 하나님의 말씀을 공급해주는 줄이 없다. 선지자가 없다. 그래서 넘어져도 다시 일어나 원래대로 되는 능력이 없었던 것이다.

나는 어려서부터 물건을 분해하고 뜯어보기를 좋아했다. 원리를 알고 싶었기 때문이다. 라디오도 뜯어보았고, 텔레비전도 뜯어보았다. 시계도 분해하다가 몇 개씩 망가뜨렸다. 집에 있는 오뚝이라고 뜯어보지 않았을 리 없다. 그런데 오뚝이는 생각보다 그 원리가 매우 간단했다. 중심에 쇠뭉치를 본드로 붙여놓은 것이 다였다. 그러니 넘어져도 다시 일어날 수 있는 것이다.

사실 오뚝이는 넘어뜨리는 재미로 사는 장난감이다. 그런데 넘어뜨려도 다시 일어난다. 왜냐하면 가운데에 추가 붙어 있기 때문이다. 나는 중심에 말씀이 있는 사람이 오뚝이와 같다고 생각한다. 중심에 말씀이 있으면 아무리 넘어져도 다시 일어날 수 있다. 넘어져도 다시 일어날 수 있으면 건강한 것이다. 이런 영적 건강을 회복해야 한다.

목회에는 수리목회와 정비목회가 있다. 수리목회는 넘어지면 찾아가서 위로하는 목회이다. 그런데 성도들은 항상 넘어진다. 교회에서 울며 소리친다. 그러면 교회는 모든 역량을 동원하여 위로한다. 일종의 악순환이다. 그러나 정비목회는 다르다. 사전에 말씀으로 무장시킨다. 중심에 하나님의 말씀이 있게 만든다. 그리고 자유롭게 풀어준다. 그러면 삶의 현장에서 아무리 많이 넘어진다 하더라도 다시 일어서게 된다. 따라서 평소 교회가 총력을 기울여서 집중해야 하는 것은 성도를 말씀으로 무장시키는 일이다. 그러면 위기에도 안심할 수 있다. 위기 앞에서도 자신 있게 설 수 있다.

고난의 풀무에서

"나의 가는 길을 오직 그가 아시나니 그가 나를 단련하신 후에는 내가 정금같이 나오리라"(욥 23:10).

많은 그리스도인들이 알고 있고 외기도 하는 말씀이다. 이 말씀으로 많은 노래가 만들어졌다. 내가 아는 노래만 해도 5

곡은 된다. 이 말씀은 고난이 우리를 단련시킨다는 것이다. 고난 이후 흠이 없어진다는 것이다. 그런데 과연 그런가? 내가 목회 현장에서 느끼는 바와 조금 거리가 있다. 고난은 힘든 것이다. 고난은 무서운 것이다. 나는 고난 때문에 인성이 깨지고, 넘어지고, 인격이 파괴되는 것을 보았다. 심지어 하나님을 부인하고 떠나는 배교자(背敎者)도 보았다. 누가 고난을 가벼운 것이라고 말하는가?

실제로 교인들을 보라. 고난으로 단련되어 정금같이 되는 사람이 있다. 그렇지만 반대로 고난 때문에 깨지고 망가지고 배교하고 심지어 자살하는 사람도 있다. 그렇다면 고난이 주어졌을 때, 전혀 다른 결과가 빚어지는 원인은 무엇인가? 핵심적인 차이는 그 사람의 중심에 말씀이 있느냐 하는 것이다. 말씀으로 무장되어 있는가 아닌가의 차이이다. 말씀을 품은 사람은 고난이 와도 정금이 된다. 그러나 말씀으로 무장되어 있지 않은 사람은 고난이 오면 타 죽는다.

다니엘의 세 친구 사드락, 메삭, 아벳느고는 금 신상에 절하지 않는다고 풀무불에 던져지는 신세가 되었다. 타협하지 않은 신앙으로 결박당하여 극렬히 타는 풀무에 던져졌으나 불 속에는 결박되지 않은 네 사람이 보였다.

"이 세 사람 사드락과 메삭과 아벳느고는 결박된 채 극렬히 타는 풀무 가운데 떨어졌더라 때에 느부갓네살 왕이 놀라 급히 일어나서 모사들에게 물어 가로되 우리가 결박하여 불 가운데 던진 자는 세 사람이 아니었느냐 그들이 왕에게 대답하여 가로되 왕이여 옳소이다 왕이 또 말하여 가로되 내가 보니 결박되지 아니한 네 사람이 불 가운데로 다니는데 상하지도 아니하였고 그 넷째의 모양은 신들의 아들과 같도다 하고"(단 3:23-25).

여기서 네 번째 사람을 가리켜 구약에 나타난 예수님이라고 말하는 사람도 있다. 일리가 있다. 어쨌든 하나님의 도우심으로 세 친구는 모두 무사히 풀무에서 나왔다. 더욱이 머리털 한 올도 그슬리지 않았다고 한다. 고난의 풀무불은 우리 안에 모든 나쁜 것을 태워버린다. 결박한 밧줄도 태워버렸다. 그러나 중요한 것, 귀한 것은 하나도 손대지 못한다. 머리털도 손대지 못했다.

말씀으로 무장하면 고난의 풀무불이 와도 겁날 것이 없다. 자신감을 가져도 된다. 왜냐하면 나쁜 것만 사라질 뿐 좋은 것은 손댈 수 없기 때문이다. 고난의 풀무불이 사랑을 없앨 수 있는가? 아니다. 오히려 정금같이 만들어버린다. 고난의 풀무불이 믿음을 없앨 수 있는가? 아니다. 오히려 믿음을 정금같이 만든다. 성도의 자신감의 원천이 바로 여기에 있다.

오뚝이가 자신 있게 넘어지는 것을 받아들이듯이, 성도는 고난의 풀무불을 무서워하지 않는다. 넘어지는 것을 두려워하지 말고 말씀으로 무장되지 않았음을 두려워하라.

둘째, 매복의 능력이다

매복은 하나님께서 친히 가르쳐주신 전략이다. 하나님은 여호수아에게 특별히 명령하신다.

"너는 여리고와 그 왕에게 행한 것같이 아이와 그 왕에게 행하되 오직 거기서 탈취할 물건과 가축은 스스로 취하라 너는 성 뒤에 복병할지니라"(수 8:2).

하나님은 용사 3만 명을 매복시키라고 말씀하신다(수 8:3).

또 5천 명을 추가로 매복하라고 말씀하신다.

"그가 오천 명가량을 택하여 성읍 서편 벧엘과 아이 사이에 또 매복시키니"(수 8:12).

하나님은 병력을 숨기는 방법으로 전쟁에 임하라고 명령하신다.

가속의 힘

병사 5천 명을 내주면 5만 명처럼 쓰는 사람이 있는가 하면 반대로 5만 명을 주어도 5천 명처럼 쓰는 사람이 있다. 결국 지혜란 제한된 능력을 극대화시켜서 사용하는 것이다. 적은 능력을 가지고 크게 쓰는 방법으로는 '가속의 힘'이 있다. 가속으로 일하면 크게 쓸 수 있다.

마귀의 목적은 성도를 망하게 하는 것이다. 그래서 가속의 힘으로 일하는 것을 막는다. 엘리야는 갈멜 산에서 대승을 거두었다. 그 여세를 몰아 계속해서 사역에 힘썼다면, 이스라엘 전체의 변화를 이끌었을 것이다. 그러나 엘리야는 곧 영적 침체에 빠졌고 승리의 맥은 끊어졌다. 마귀의 공격에 넘어진 것이다. 지혜로운 사람은 마귀의 공격의 흐름을 안다. 가속의 힘으로 일할 줄 안다.

초신자가 한 번 예배에 불참할 경우, 영적 센스가 있는 사역자라면 모든 노력을 기울여서 그 다음 주에는 반드시 출석할 수 있도록 유도할 것이다. 그러나 나태하게 대응하면 2주 연속 결석하게 되는 것은 시간문제이며, 침체의 시간이 두 달 이상 갈 수도 있다. 예배에 두 번 빠진다는 것은 단순히 한 번 빠진 것의 두 배가 아니다. 가속의 힘을 죽이는 치명타다. 물 속에서 2분간 견디는 것과 물 속에서 4분을 견디는 것을 단순히 두 배의 시간이라고 말할 수는 없다. 2분은 살 수 있는 시간이지만 4분은 죽음에 이르는 시간이기 때문이다. 그 차이를 아는 사람은 긴급히 행동하게 된다.

타고난 은사가 한번에 5배, 10배 늘어나는 일은 거의 없다. 아무리 노력한다고 해도 은사는 2배 이상 늘지 않는다. 따라서 은사를 늘리기보다는 은사를 잘 활용하는 것이 중요하다. 5천 명을 5만 명같이 사용하는 길을 찾아야 한다. 제한적인 힘으로 10배의 능력을 발휘할 수 있는 길은 가속의 능력을 활용하는 것이다.

달리는 기관차는 1미터 50센티의 콘크리트를 뚫는다고 한다. 반면에 전시된 기관차는 2센티미터 두께의 합판만으로도 그 무게를 지탱할 수 있다. 도움닫기를 하는 사람은 몇 미터씩 날아갈 수 있다. 하지만 제자리에서 뛰는 사람은 멀리 뛰지 못한다. 이것이 가속의 힘이다. 많은 일을 효과적으로 처리하는 사람치고, 가속의 힘을 활용하지 않는 사람은 없다.

작은 교회가 가속을 받기 힘든 이유가 있다. 그것은 매우 작은 문제가 교회 전체에 파장을 미치기 때문이다. 두 사람의 다툼이 교회 전체에 막대한 영향을 준다. 그래서 쉽사리 초점을 잃어버리고 만다. 반면에 큰 교회는 작은 문제가 전체의 흐름에 지장을 주지 않는다. 그래서 가속도를 더해가며 강력히 전진할 수 있다. 그러나 일단 큰 교회가 침체기에 접어들면 교회는 깊은 수렁에 빠지게 된다. 덩치가 너무 커서 다시 움직이도록 하는 일이 쉽지 않다. 크고 오래된 교회가 한 번 굳어버리면 헤어 나오지 못하는 이유가 여기에 있다.

반면 작은 교회는 덩치가 작아서 움직이기가 쉽다. 집중력

만 생기면 쉽게 가속을 붙일 수 있다. 그래서 큰 사이즈의 논리와 작은 사이즈의 논리가 다른 것이다. 어떤 순간에도 가속도를 죽이지 말라. 가속의 힘으로 일하는 사람이 지혜로운 사람이요 강력한 사람이다.

최고의 병법

5천 명을 5만 명처럼 사용하는 가장 강력한 방법은 매복의 능력으로 임할 때이다. 매복된 5천 명은 5만 명보다 더 강할 수 있다. 힘은 숨겨야 한다. 조조가 적벽대전(赤壁大戰)에서 진 것은 연환계(連環計)에 빠졌기 때문이다. 바람의 방향이 싸움의 승패를 갈랐으나 제갈공명이 매복시킨 병력의 위력 또한 놓쳐서는 안 된다. 매복의 힘을 더했기 때문에 상대를 완전히 제압할 수 있었다.

베트남에는 구찌 터널이라는 곳이 있다. 베트남 전 당시 미군 1만6천 명이 전멸한 장소이기도 하다. 구찌 터널이 있는 곳은 호치민에서 2시간도 떨어져 있지 않은 곳인데 석회암 지역이다. 그곳에 땅굴을 파놓았는데, 그 길이가 250킬로미터에 달한다고 한다. 아무리 첨단의 무기로 무장한 다수의 미군이라고 해도 매복된 소수의 게릴라들을 대적하여 이길 수는 없었다. 매복의 능력을 보여주는 것이 바로 구찌 터널이다. 힘은 숨겨서 써야 더 크게 사용할 수 있다.

한동안 교계에서 리더십이 유행했다. 나도 리더십에 관한 책을 많이 읽었다. 하지만 서로 엇비슷한 내용들이라서 더 이상 읽을 책이 없었다. 리더십이나 병법(兵法)이 다를 것이 없다는 생각으로 나는 대형 서점에서 중국 병법서 40권을 샀다. 그중 20권을 정독해서 읽었다. 나머지 20권은 더 읽을 필요가 없을 정도로 서로 영향을 준 책들이었다. 그 병법서를 보며 내린 결론이 있다. 세상의 지식도 정상에 이르면 성경과 만난다는 것을 알았다. 최고의 병법이 무엇인가? 그것은 적을 교만하게 하는 것이다. 왜 적을 교만하게 하는가? 교만하면 약해지기 때문이다. 적을 격려하기 위한 차원이 아니다. 적을 망하게 하기 위해서이다.

"교만은 패망의 선봉이요 거만한 마음은 넘어짐의 앞잡이니라"(잠 16:18).

싸움에서 이기려면 할 수만 있으면 적을 교만하게 만들어야한다. 그리고 자신은 겸손해야 한다. 그래야 이긴다. 매복은 적은 교만하게 만들고, 자신은 겸손하게 만든다. 반면에 허세를 부리면 어떤가? 적이 겸손해지고 나는 교만해진다. 이런 자살행위를 하는 사람들도 있다. 참으로 어리석은 일이다.

겸손할 수 있다면 실패도 자산(資産)이 된다. 적을 교만하게 만든다면 실패도 자산이다.

"그들이 나와서 우리를 따르며 스스로 이르기를 그들이 처음과 같이 우리 앞에서 도망한다 하고 우리의 유인을 받아 그 성읍에서 멀리 떠날 것이라 우리가 그 앞에서 도망하거든 너희는 매복한 곳에서 일어나서 그 성읍을 점령하라 너희 하나님 여호와께서 너희 손에 붙이시리라"(수 8:6,7).

패배의 경험이 상대를 교만하게 만들었을 때, 이스라엘도 쉽게 매복의 함정을 이용할 수 있었다.

그러므로 자신의 능력을 다 보이지 말라. 항상 매복하는 인생을 살라. 보이지 않는 숨은 힘이 있어야 한다.

나는 설교를 많이 하는 편이다. 주일에 3가지 설교를 8번,

월요일부터 금요일까지 매일 2번의 새벽기도와 수요일에 2번의 설교, 금요일 밤 11시부터 새벽 4시까지 철야 기도회를, 토요일 오후 6시부터 2시간 동안 리더모임을 이끌고 있다. 한 달에 80회 정도의 설교를 해야 한다. 사람들은 내게 묻는다. 도대체 그 많은 설교를 언제 준비하는가, 밤낮 자전거만 타는 것 같고, 외부 집회도 많은 것 같은데 언제 준비하는지 궁금하다는 질문이다.

나는 그 질문에 일일이 답하지 않는다. 하지만 "남들이 자고 있을 때 합니다"가 나의 대답이다. 나는 매일 새벽 2시 40분에 자리에서 일어난다. 그리고 자전거를 타고 교회로 오면 새벽 3시다. 그때부터 새벽기도를 포함해서 12시까지 기도와 공부에만 집중한다. 이것이 삼일교회 모든 교역자들의 패턴이다. 9시간은 결코 짧은 것이 아니다. 그 후에도 시간이 나는 대로 틈틈이 준비한다. 그러기에 감당할 수 있는 것이다. 이것이 매복의 능력이다.

몇 년 전 한 기자를 만나 함께 식사를 한 적이 있다. 그런데 그 기자가 삼일교회의 내막을 너무 잘 알고 있었다. 나는 돌아온 그 길로 회개했다. 얼마나 떠벌리고 다녔으면 이렇게 다들 알고 있는가? 금년에도 어떤 기자를 만나 이야기를 나누었는데, 삼일교회의 일을 거의 모르고 있거나 안다는 내용도 사실과 달랐다. 나는 내심 안도했다. 이제 많이 매복하였다고 생각하니 조금 안심이 되었다. 힘을 숨겨놓으면 강력하다.

빙산을 보라. 우리 눈에 보이는 부분은 그야말로 빙산의 한 귀퉁이뿐이다. 눈에 보이는 빙산의 일각을 믿지 말라. 우리에게도 빙산처럼 숨은 저력이 있어야 한다. 나무의 생명은 뿌리에 있다. 아무리 뿌리가 중요해도 뿌리를 보여주려고 자랑한다면 그 나무는 죽는다. 뿌리는 숨겨두어야 한다. 그 뿌리의 생명력은 가지와 열매를 통해서 드러나게 된다.

자기를 다 드러내는 것은 하나님께서 기뻐하지 않으신다. 자랑하면 빼앗긴다. 히스기야는 자랑하다가 모든 보물을 바벨론에 빼앗겼다.

"그 때에 발라단의 아들 바벨론 왕 부로닥발라단이 히스기야가 병들었다 함을 듣고 편지와 예물을 저에게 보낸지라 히스기야가 사자(使者)의 말을 듣고 자기 보물고의 금은과 향품과 보배로운 기름과 그 군기고와 내탕고의 모든 것을 다 사자에게 보였는데 무릇 왕궁과 그 나라 안에 있는 것을 저에게 보이지 아니한 것이 없으니라"(왕하 20:12,13).

이 소식을 듣고 놀란 이사야 선지자가 달려온다. 이사야 선지자는 자랑한 모든 것을 빼앗긴다고 전한다.

"여호와의 말씀이 날이 이르리니 무릇 왕궁의 모든 것과 왕의 열조가 오늘까지 쌓아두었던 것을 바벨론으로 옮긴바 되고 하나도 남지 아니할 것이요 또 왕의 몸에서 날 아들 중에서 사로잡혀 바벨론 왕궁의 환관이 되리라 하셨나이다"(왕하 20:17,18).

명심하라. 자랑하면 빼앗긴다. 그러나 하나님을 자랑하면 하나님이 우리를 지켜주실 것이다.

셋째, 중단할 줄 아는 스톱의 능력이다

아이 성에서 이스라엘이 패하게 된 이유 중의 하나는 아간의 범죄 때문이었다. 하나님이 손대지 말라고 하신 물건을 훔쳤기 때문이다.

"너희는 바칠 물건을 스스로 삼가라 너희가 그것을 바친 후에 그 바친 어느 것이든지 취하면 이스라엘 진으로 바침이 되어 화를 당케 할까 두려워하노라 은금과 동철 기구들은 다 여호와께 구별될 것이니 그것을 여호와의 곳간에 들일지니라"(수 6:18,19).

결국 아간은 돌에 맞아 죽었고 그 죽은 자리는 아골 골짜기가 된다. 우리가 하나님의 말씀에 순종하는 것은 중요하다. 고집과 인도하심을 받는 것은 다르다. 고집은 자기 뜻대로 무조건 전진하는 것이다. 그러나 인도하심은 하나님이 가라고 하셔야 가는 것이다. 하나님이 서라고 하시면 서는 것이다. 하나님이 가라고 하는 '고'(Go) 명령도 중요하지만 하나님이 서라고 하는 '스톱'(Stop) 명령을 따르는 것은 더 중요하다.

교통 신호등을 보라. 녹색불이 켜지고 가라는 사인이 나면, 조금 늦게 출발하더라도 재촉하는 잔소리나 욕을 먹으면 그만이다. 그다지 큰 문제가 생기지 않는다. 그러나 빨간불의 스톱 사인이 났는데 이를 무시하면 그것은 대형사고로 이어질 수 있다. '고'(Go)보다 중요한 것이 '스톱'(Stop)이다.

큰 일을 도모할 수 있는 작은 힘

신앙의 연수가 많아지고 교회가 커지다보면 점점 더 힘이 생긴다. 점점 더 할 수 있는 일이 많아진다. 조금만 힘써도 많은 일을 할 수 있다. 삼일교회에는 '천 원 헌금'이라는 좋은 전통이 있다. 선교사님이나 어려운 이웃을 위해서 전교인이 천 원씩 헌금하는 것이다. 개인에게는 거의 부담이 되지 않는 커피 한 잔 값 정도에 불과하지만, 이것이 모이면 큰 힘을 발휘하곤 한다. 선교사님이 오시면 교회에서 천 원 헌금을 한다. 1만 명의 성도들이 1천 원씩 헌금하면 천만 원이다. 물론 실제 예상한 만큼의 헌금이 정확히 걷히는 것은 아니지만 안식년을 맞이하여 들어온 선교사님들에게 큰 힘이 되는 돈이 마련되는 셈이다.

최근 시각장애인 교회인 방배동 삼안교회에서 삼일교회 저녁예배 때 특송을 했다. 시각장애인이 강단 위에 오르는 일은 쉽지 않았다. 그가 다른 분의 도움을 받아가며 꽤 오랜 시간 애를 써서 단 위에 올라서는 순간, 모든 성도는 말을 잃었고 안타까운 긴장감이 흘렀다. 찬양이 이어졌다. 너무나 아름다운 천상의 찬양이었다. 많은 이들이 그 찬양에 큰 은혜를 받았다. 단에서 내려갈 때도 오를 때만큼 오랜 시간이 걸렸다. 그 몇 분의 시간은 안타까움과 애절함과 아픔의 시간이었다. 장애우의 찬양으로 하나님의 은혜가 더욱 넘치는 시간이었다.

저녁예배 시간에만 천 원 헌금을 작정했는데, 8백만 원이라는 헌금이 나왔다. 그 헌금을 전달하자 목사님께서는 이제껏 지원받았던 가장 많은 액수라고 하시면서, 점자 타자기를 사겠다고 하셨다. 무슨 말인가? 숫자의 무서움을 말하는 것이다. 한 사람의 힘은 약하다. 그러나 다수가 조금씩 힘을 보탠다면, 1천만 원 정도는 쉽게 모을 수 있다. 1만 원씩 헌금하면 1억 원이고, 10만 원씩 헌금하면 10억 원이다. 조금 부담스럽더라도 100만 원씩 헌금한다면 100억 원이 된다. 따라서 전 교인이 힘을 쏟으면 100억 원 규모의 사역도 감당할 수 있다. 이제 무슨 일을 하는 것은 그리 어렵지 않아 보인다. 진정으로 더 어려운 일은 하지 말아야 할 일을 하지 않는 것이다. 교회 본연의 모습이 아닌 일을 중단하는 것이 더 힘든 일이 되었다는 말이다.

하나님의 뜻대로 멈추기

명견과 잡종견의 차이는 무엇인가? 먹이를 먹거나 짖는 것은 명견이나 잡종견이나 똑같다. 개의 본능이기 때문이다. 그러나 이때 명견과 잡종견의 차이를 알 수 있는 것이 바로 '스톱'(Stop)의 능력이다. 주인이 먹지 말라고 하는 고기를 먹지 않는 것은 명견이다. 반대로 배가 고프면 그냥 먹는 것이 잡종견이다. 멈추는 것이 능력이다.

많은 사람들이 다윗의 위대함에 대해 말한다. 그의 공적을 기린다. 그러나 다윗에게는 무엇 무엇을 많이 한 업적보다 더 큰 업적이 있다. 바로 성전 건축을 하지 않았다는 점이다. 다윗은 하나님의 성전을 건축하고자 하는 간절한 소망을 가지고 있었다. 또한 성전을 건축할 수 있는 능력도 갖추었다. 비록 솔로몬이 성전을 건축했다고는 하나 건축에 필요한 물자를 준비한 것은 다윗이었다. 그렇지만 다윗은 하나님이 그 일을 제지하시자 거기에서 멈추었다. 다윗은 하나님의 뜻대로 '스톱'(Stop) 하는 능력이 있었다.

"여호와의 말씀이 내게 임하여 이르시되 너는 피를 심히 많이 흘렸고 크게 전쟁하였느니라 네가 내 앞에서 땅에 피를 많이 흘렸은즉 내 이름을 위하여 전을 건축하지 못하리라"(대상 22:8).

믿음 없는 보통사람 같으면, '피야 닦으면 되지, 누가 뭐래도 나는 한다, 하늘이 두 쪽 나도 내가 한다' 라는 식으로 성전 건축을 하고야 말았을 것이다. 그러나 다윗은 하나님의 뜻대로 멈추었다.

빌립이 사마리아에서 복음을 증거할 때, 큰 부흥이 일어났다. 부흥을 위해서 헌신하는 것은 힘든 일이다. 그러나 더 힘든 것은 그 일을 중단하고 다른 곳으로 가라고 하실 때 순종하는 것이다. 사역에 한참 불이 붙었는데, 하나님은 '난데없이' 사막으로 가라고 명령하신다.

"주의 사자(使者)가 빌립더러 일러 가로되 일어나서 남으로 향하여 예루살렘에서 가사로 내려가는 길까지 가라 하니 그 길은 광야라" (행 8:26).

이에 빌립은 중단하고 갔다. 이것이 믿음이다.

나는 일찍 일어나서 교회로 간다. 그런데 새벽 일찍 움직이다보면 많은 사람을 만난다. 꼭 예수 믿는 사람만 새벽에 일어나는 것은 아니다. 신문배달, 우유배달 하는 사람, 등산 가는 사람, 심지어 스님들도 보인다. 예수 믿으면 더 성실하고 더 부지런해진다는 식의 설명은 맞지 않다. 그러면 예수를 믿는 사람과 믿지 않는 사람을 구분할 수 있는 것은 결정적으로 언제인가? '고'(Go) 할 때가 아니라 '스톱'(Stop) 할 때이다.

믿는 자들은 주일에 쉰다. 안식할 줄 안다. 하던 일을 중단한다. 그것이 믿는 자의 모습이다. 장사하는 사람에게 물어보라. 열심히 일하는 것보다 더 힘든 것이 주일에 장사를 중단하는 일이다. 믿음이 없으면 중단하지 못한다. 하나님께서도 광야를 통과하던 이스라엘 백성들에게 안식일 전날에는 만나를 두 배로 주셨다. 무슨 말인가? 믿고 쉬면 하나님께서 채워주신다는 말이다. 다음은 안식년에 관한 규례이다.

"혹 너희 말이 우리가 만일 제 칠 년에 심지도 못하고 그 산물을 거두지도 못하면 무엇을 먹으리요 하겠으나 내가 명하여 제 육 년에 내 복을 너희에게 내려 그 소출이 삼 년 쓰기에 족하게 할지라"(레 25:20,21).

안식년을 지키면, 제6년에 2년 치가 아니라 3년 치 소출을 주신다고 약속한다. 안식하고 싶어도 여유가 없어서 안식하지 못한다는 사람이 있다. 그러나 이 말은 사실이 아니다. 여유가 없는 것이 아니라 믿음이 없는 것이다.

바벨론의 70년 포로생활에 대한 다음의 해석을 보라.

"이에 토지가 황무하여 안식년을 누림같이 안식하여 칠십 년을 지내었으니 여호와께서 예레미야의 입으로 하신 말씀이 응하였더라"(대하 36:21).

이 말을 조금 무리하게 확대하자면, 그동안 이스라엘 백성이 지키지 않은 안식년을 한꺼번에 지키는 것이라고 말할 수 있다. 이 세상에서 안식하지 않는 사람은 하나도 없다. 어떤 사람은 교회에서 안식하고, 어떤 사람은 병원 병상에서 안식하기도 한다. 날수가 길 경우 감옥에서 안식할 수도 있다. 이스라엘의 경우는 포로로 안식했다. 십일조도 마찬가지이다. 십일조하지 않는 사람은 없다. 어떤 사람은 교회에 하고, 어떤 사람은 아파서 병원에 하고, 어떤 사람은 사고를 쳐서 경찰서에 한다. 계산이 복잡하고 많다 싶으면 도둑이 가져가기도 한다.

펄펄 뛰고 이리저리 움직인다고 다 되는 것이 아니다. 중단하고 기다려라. 하나님의 인도하심을 기다려라. 그것이 오히려 더 강력한 승리의 길을 열어줄 것이다. 성도의 자신감은 하나님을 믿는 믿음 안에 존재한다.

1. 칠전팔기(七顚八起) 신앙은 말씀을 품고 일어나는 복원의 능력이 있다.

• • •　　이스라엘의 언약 백성들에게는 언제나 말씀을 들을 수 있는 통로가 있었다. 사울과 다윗의 결정적인 차이는 무엇인가? 다윗은 범죄를 하든 안 하든 언제나 주변에 사무엘, 나단, 갓 등의 선지자가 있었다. 그래서 다윗은 넘어져도 다시 일어설 수 있었다. 그러나 사울에게는 말씀을 공급하는 선지자가 없었고, 있다 하더라도 그 선지자의 음성을 뿌리쳤다. 그래서 그는 넘어질 때에 다시 일어나는 복원력(復原力)이 없었다. 성도여, 넘어짐을 두려워하지 말고 말씀으로 무장되지 않았음을 두려워하라.

2. 칠전팔기의 신앙은 매복의 능력을 사용한다.

• • •　　하나님은 아이 성 전투에서 병력을 숨기는 매복의 방법을 사용하라고 명하셨다(수 8:3). 5천 명을 5만 명처럼 사용하는 가장 강력한 방법은 매복의 능력으로 일하는 것이다. 매복된 5천 명은 5만 명보다 더 강할 수 있다. 힘은 숨겨야 한다. 최고의 병법(兵法)은 무엇인가? 그것은 적을 교만하게 만들고 자신은 겸손하여 냉철해지는 것이다. 그래야 이긴다. 매복은 적을 교만하게 만들고 자신은 겸손하게 만든다. 자신의 능력을 다 내보이지 말라. 매복하는 인생을 살라. 보이지 않는 숨은 힘이 있어야 한다.

3. 칠전팔기의 신앙은 중단할 줄 아는 '스톱의 능력'이 있다.

• • • 　하나님이 "가라"라고 하시는 'Go'의 명령도 중요하지만, 하나님이 "서라"고 하시는 'Stop'의 명령을 따르는 것은 더 중요하다. 교통 신호등에서 빨간색의 스톱 사인이 들어왔을 때 이를 무시하면 대형사고가 날 수 있다. 중요한 것은 멈추는 것이다. 명견과 잡종견의 차이 역시 이 능력으로 알 수 있다. 주인이 먹지 말라고 하면 먹이를 먹지 않는 것이 훈련이 잘 된 명견이다. 억제하지 못하고 다 먹는 것은 잡종견이다. 펄펄 뛰고 움직인다고 다 되는 것이 아니다. 중단하고 기다려라. 하나님의 인도하심을 기다려라. 기다릴 줄 아는 성도는 진정한 자신감을 소유한다.

칠전팔기의 **자신감**을 심어주는
하나님의 약속

시편 27:1,3
여호와는 나의 빛이요 나의 구원이시니 내가 누구를 두려워하리요
여호와는 내 생명의 능력이시니 내가 누구를 무서워하리요…
군대가 나를 대적하여 진 칠지라도 내 마음이 두렵지 아니하며 전쟁이 일어나
나를 치려 할지라도 내가 오히려 안연하리로다

마가복음 9:23
예수께서 이르시되 할 수 있거든이 무슨 말이냐
믿는 자에게는 능치 못할 일이 없느니라 하시니

요한복음 15:7
너희가 내 안에 거하고 내 말이 너희 안에 거하면
무엇이든지 원하는 대로 구하라 그리하면 이루리라

자신감

초판 1쇄발행 2006년 12월 15일
초판 34쇄발행 2007년 4월 23일

지은이   전병욱

펴낸이   여진구
편집국장   김응국
편집장   김아진
기획·홍보   이한민, 최지설, 이현정
책임편집   안수경
편집   오은미, 박혜련, 이소현
책임디자인   이혜영, 전보영 | 서은진, 백현아
해외저작권   최영오
마케팅   김상순, 강성민, 허병용, 박은숙
마케팅지원   최경식, 김선규
제작   조영석, 정도봉
경영지원   김혜경, 김경희

이슬비전도학교 엄취선, 전우순
이슬비암송학교 박정숙, 최영배, 이지혜
이슬비장학회장 여운학

펴낸곳   규장

주소 137-893 서울시 서초구 양재2동 205 규장선교센터
전화 578-0003 팩스 578-7332 이메일 kyujang@kyujang.com
등록일 1978.8.14. 제1-22

책값 뒤표지에 있습니다.
ISBN 89-7046-767-X 03230

규 | 장 | 수 | 칙

1. 기도로 기획하고 기도로 제작한다.
2. 오직 그리스도의 성품을 사모하는 독자가 원하고 필요로 하는 책만을 출판한다.
3. 한 활자 한 문장에 온 정성을 쏟는다.
4. 성실과 정확을 생명으로 삼고 일한다.
5. 긍정적이며 적극적인 신앙과 신행일치에의 안내자의 사명을 다한다.
6. 충고와 조언을 항상 감사로 경청한다.
7. 지상목표는 문서선교에 있다.

하나님을 사랑하는 자 곧 그 뜻대로 부르심을 입은 자들에게는 모든 것이 합력하여 善을 이루느니라(롬 8:28)

Member of the
Evangelical Christian
Publishers Association
규장은 문서를 통해 복음전파와 신앙교육에 주력하는 국제적 출판사들의
협의체인 복음주의출판협회(E.C.P.A:Evangelical Christian Publishers
Association)의 출판정신에 동참하는 회원(Associate Member)입니다.